這本書屬於：

. . . .

DK | Penguin Random House

新雅・知識館
給孩子的動物全百科
翻譯：羅睿琪
責任編輯：葉楚溶
美術設計：蔡耀明
出版：新雅文化事業有限公司
香港英皇道499號北角工業大廈18樓
電話：（852）2138 7998
傳真：（852）2597 4003
網址：http://www.sunya.com.hk
電郵：marketing@sunya.com.hk
發行：香港聯合書刊物流有限公司
香港荃灣德士古道220-248號荃灣工業中心16樓
電話：（852）2150 2100
傳真：（852）2407 3062
電郵：info@suplogistics.com.hk
版次：二〇一八年六月初版
二〇二二年十一月第五次印刷
版權所有・不准翻印

Original Title: My Encyclopedia of Very Important Animals
Copyright © 2017 Dorling Kindersley Limited
A Penguin Random House Company

ISBN: 978-962-08-7008-8

Traditional Chinese Edition © 2018 Sun Ya Publications (HK) Ltd.
18/F, North Point Industrial Building, 499 King's Road, Hong Kong
Published in Hong Kong SAR, China
Printed in China

For the curious
www.dk.com

給孩子的動物全百科

新雅文化事業有限公司
www.sunya.com.hk

動物全接觸

目錄

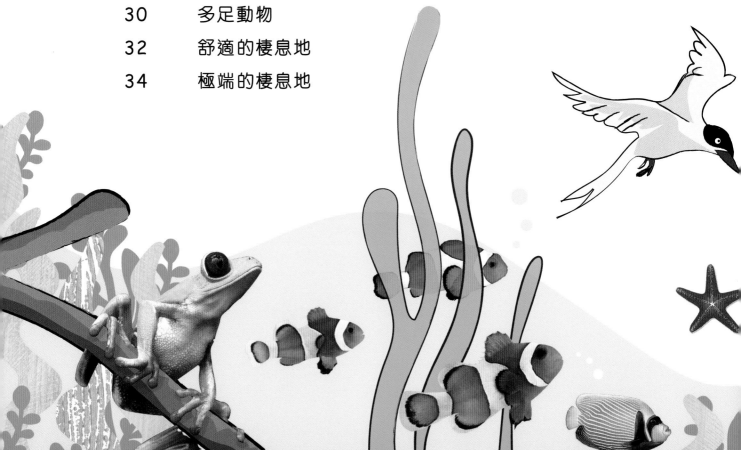

奇妙的動物

動物趣談

更多非凡的動物

動物全接觸

由細小的蜥蜴，到體形龐大的大象，地球上充滿了奇妙的**動物**。世上有數百萬種不同的動物，還有許多新物種有待被發現。你對這些與我們共享地球的生物有多少認識呢？

動物世界

快翻開書頁，認識一下各種大的、小的、

地球上的陸地、海洋和天空中都有許多神奇的生物。牠們彼此之間可能非常不同，但牠們都**非常重要**！

有鱗片的、毛茸茸的、有斑點的、友善的、致命的動物！

什麼是動物？

　　無論是**會游泳的**、**會飛翔的**、**在地上爬行的**或是**蹦蹦跳的**動物，牠們全都有獨特迷人的地方。不過，我們如何分辨哪些生物是**動物**呢？

動物和植物

動物和**植物**都是生物，不過分別在哪裏呢？

狗 (Dog)

我喜歡**跑來跑去**，到處**活動**。

大部分動物能夠選擇**移動**，但植物則不能。

所有動物都非常重要……

動物的種類

動物有各種各樣的大小、外形和顏色。有相同特徵的動物會被分類成同一**物種**。

蝙蝠 (Bat)

猴子 (Monke)

熊 (Bear)

蛇 (Snake)

鵝 (Goose)

與動物不同，我能夠從**陽光**中獲得能量。

動物從空氣或水中吸取**氧氣**。

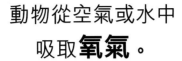

我會用銳利的**視力**來尋找食物。

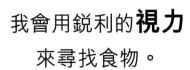

向日葵
(Sunflower)

動物需要**進食**以獲得能量，植物則不會進食。

金魚
(Goldfish)

所有生物都需要**呼吸**。植物也會吸取空氣，但與動物的方式不同。

鷹 (Hawk)

動物有較發達的感官，例如嗅覺、觸覺和視覺。

……而人類也是動物！

蝴蝶 (Butterfly)

斑馬 (Zebra)

紅鶴 (Flamingo)

人類 (Human)

猩猩 (Orangutan)　企鵝 (Penguin)　貓 (Cat)　老虎 (Tiger)　青蛙 (Frog)

陸生動物

許多動物生活於**陸地**上，牠們的外貌不一定很相似，但牠們都特別適應陸地上的生活。

蝸牛 (Snail)

長頸鹿 (Giraffe)

鬣狗 (Hyena)

老鼠 (Mouse)

大猩猩 (Gorilla)

鴨 (Duck)

我會長時間留在河中，但是我不是在游泳，我只是在河牀上散步。

河馬 (Hippopotamus)

雞 (Chicken)

蛇 (Snake)

陸地愛好者

在陸地上生活的動物稱為**陸生動物**。
牠們遍布全世界，在森林、平原、
山、城市、沙漠等地方居住。

蜘蛛 (Spider)

豹 (Leopard)

駱駝 (Camel)

狗 (Dog)

牛 (Cow)

貘 (Tapir)

豬 (Pig)

駝鹿 (Moose)

我是世上體形最大的鹿。

刺蝟 (Hedgehog)

飛魚
(Flying fish)

水生動物

湖泊、河流與海洋是許多動物的家。
一生中大部分時間都在水裏生活的動物，
稱為**水生動物。**

天竺鯛
(Cardinalfish)

鰩魚 (Ray)

魷魚
(Squid)

水母 (Jellyfish)

鯊魚
(Shark)

鰻魚 (Eel)

蝦
(Shrimp)

海豚 (Dolphin)

水獺 (Otter)

我是半水生動物，我一生有一半時間在水中生活，一半時間在陸地上生活。

海豹 (Seal)

蟹 (Crab)

金魚 (Goldfish)

海馬 (Seahorses)

小丑魚 (Clownfish)

牠們如何呼吸？

水生動物會以不同的方式去吸取氧氣。魚類利用鰓吸水並獲得氧氣，其他動物如海龜和海豚，則會浮上水面呼吸。

我是少數在海洋裏生活的爬蟲類動物。

擬刺尾鯛 (Blue tang)

海龜 (Sea turtle)

八爪魚 (Octopus)

企鵝 (Penguin)

海星 (Starfish)

海膽 (Sea urchin)

17

空中動物

不是只有鳥類能飛行，其他動物也能在空中飛翔。所有會飛的動物都有一個共通點——牠們都有**翅膀**。

蝗蟲 (Locust)

我是夜行動物，所以只會在晚上才出現和飛行。

蝙蝠 (Bat)

黃蜂 (Wasp)

金剛鸚鵡
(Macaw)

蜜蜂 (Bee)

蜂鳥
(Hummingbird)

孔雀 (Peacock)

超級飛行員

會飛的動物能夠以**各種各樣**的方式在空中移動。牠們能夠俯衝、上升、急降、滑翔和盤旋。蜂鳥甚至能向後飛行！

大嘴鳥 (Toucan)

虎皮鸚鵡 (Budgerigar)

海鸚 (Puffin)

鵰 (Eagle)

貓頭鷹 (Owl)

蝴蝶 (Butterfly)

鴿子 (Pigeon)

我能夠飛，但飛得不遠。

瓢蟲 (Ladybird)

公雞 (Cockerel)

紅鶴 (Flamingo)

飛蛾 (Moth)

19

什麼是哺乳類動物？

哺乳類動物是**一羣**動物。牠們有許多不同的外形和大小，但牠們都有一些相同的特徵。

> **我**和**北極熊**真的相似嗎？

你知道人類也是**哺乳類動物**嗎？

會誕下小寶寶

無論是在陸地還是在水中生活，大部分哺乳類動物在誕生時都已經是小寶寶，而不是像鳥類那樣是從蛋裏孵化出來的。所有哺乳類動物的小寶寶都會喝**乳汁**。

溫血

所有哺乳類動物都是**溫血**的，即是無論牠們身處炎熱的森林，還是嚴寒的冰雪中，都能夠保持穩定的體溫。

大象是少數不能跳躍的哺乳類動物。

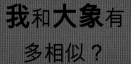

我和**大象**有多相似？

不要忘記我們！我們也是哺乳類動物！

蝙蝠是唯一一種會飛的哺乳類動物。

人們都說**我**就像一隻**老虎**！

大象的腿骨

人類的小腿骨

相似的骨骼

哺乳類動物的外觀可能有很大差異，但牠們體內都有**骨骼**。你擁有脊骨，大象也擁有脊骨。可是，你沒有長長的鼻子呢！

毛茸茸的朋友

有些哺乳類動物比較毛茸茸，但幾乎所有哺乳類動物都長有**毛髮**。你頭上的頭髮與老虎身上的毛很相似，只是你頭上沒有條紋般的頭髮！

神奇的鳥

　　當人們想起鳥類時，可能會聯想到**飛行**，但是某些鳥類也能輕鬆地奔跑與游泳。鳥類真的很神奇呢！

雉
(Pheasant)

不是所有鳥類都能夠飛翔，有些鳥類會留在陸地上生活，還可以跑得非常快！

貓頭鷹
(Owl)

鳥類世界

鳥類是地球上其中一種最多樣化的動物。已知的鳥類品種超過**10,000**種，牠們彼此之間的外貌和行為可能有極大差異。

鴯鶓 (Emu)

鴨 (Duck)

禿鷲 (Vulture)

鷹 (Hawk)

鸚鵡 (Parrot)

啄木鳥
(Woodpecker)

蜂鳥 (Hummingbird)

蜂鳥擁有特別長的喙，
有助深入花朵之中，吸
取美味的花蜜。

海鸚
(Puffin)

鳥類之間有什麼聯繫？

雖然鳥類可能有非常不同的外貌和行為，
但牠們擁有幾個共同的特徵。

鳥類都長有羽毛，讓牠們保持
溫暖、乾爽。

所有鳥類都是由蛋裏孵化出來
的。

鳥類都有喙，幫助他們進食和
清潔身體。

海鸚擁有長長的舌頭和尖
銳的喙，讓牠能夠一次過
用嘴巴捕捉許多魚。滿滿
的一口呢！

23

奇妙的魚

無論是生活在河流、湖泊、池塘，還是海洋的魚類，都擁有特別的構造，幫助牠們**在水中生活**。

神仙魚 (Angelfish)

海馬 (Seahorse)

蝴蝶魚 (Butterfly fish)

我看起來和其他魚類有點不一樣，但我也是魚類家族的成員呢！

一羣集體活動的魚類被稱為**魚羣**。當魚一起游動時，捕食者會較難鎖定其中一個目標。

鰓

大部分魚類並不是像人類般用肺**呼吸**，而是用鰓從水中吸取氧氣。

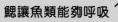

鰓讓魚類能夠呼吸

大部分魚類都有鱗片。鱗片可保護魚類，並讓牠們在水中游動得更流暢。

魚類家族

地球上有超過**33,000**種不同的魚類，牠們有各式各樣的外形、大小和顏色。

鱗片

通往鰓的開口

鰭

> 我有毒刺，保護自己免受捕食者的傷害。

獅子魚 (Lionfish)

鰈魚 (Plaice)

公牛鯊 (Bull shark)

鰭

鰭能幫助魚類在水中平衡身體。在魚類**游動**時，也會利用鰭來改變方向。

劍魚 (Swordfish)

冷血

大部分魚類都是冷血的，牠們的體溫會與水保持**相同溫度**。

非凡的爬蟲類動物

爬蟲類動物是一種擁有特殊自我保護方式的動物。牠們的身體被防水的硬片覆蓋，稱為**鱗片**。

短吻鱷 (Alligator)

我寬闊的腳掌可幫助我在水面上奔跑！

雙脊冠蜥 (Basilisk lizard)

鱗片的種類

所有爬蟲類動物都被鱗片覆蓋，但不同的爬蟲類動物會擁有不同種類的鱗片。

鱷魚的鱗片粗糙厚實。

蜥蜴有許多細小的鱗片。你可以在這條尾巴上觀察到蜥蜴的鱗片。

追逐陽光

與哺乳類動物不同，爬蟲類動物是**冷血**的。這代表牠們需要坐在陽光下，令自己變得暖和。

緬甸岩蟒 (Burmese rock python)

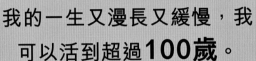

我的一生又漫長又緩慢，我可以活到超過**100**歲。

巨陸龜 (Giant tortoise)

蛻皮

所有爬蟲類動物都會不時蛻皮，以清除舊的鱗片。當蛇蛻皮時，蛇皮會一下子完全脫落！

有些爬蟲類動物生活在水中。

海龜 (Turtle)

蛇擁有光滑的鱗片，這些鱗片互相交疊。

陸龜的皮膚上有細小的鱗片，而外殼上則有較大的鱗片。

破殼而出的小生命

大部分爬蟲類動物都是從蛋中孵化出來的。許多爬蟲類動物都會在地下生蛋，以保護蛋的安全。

兩棲類動物

兩棲類動物是一種擁有特殊能力的動物：大部分兩棲類動物成年後都能夠在**陸地**和**水中**生活。

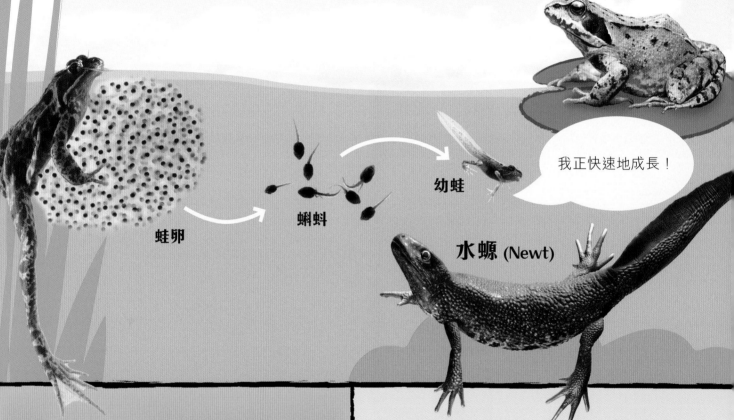

成年青蛙 (Frog)

蛙卵

蝌蚪

幼蛙

我正快速地成長！

水螈 (Newt)

生命周期

兩棲類動物會在水中產卵。從卵中孵化的蝌蚪會在成長中**變形**，並逐漸長出四肢，最終可以到陸上生活。

陸地與水中

大部分兩棲類動物在一生中都有部分時間生活在**陸上**，部分時間生活在**水中**。不過有些兩棲類動物會較喜歡在其中一個棲息地生活。

我腳上的**爪墊**具有**黏力**，最適合用來**攀爬**。

樹蛙 (Tree frog)

蟾蜍 (Toad)

蠑螈 (Salamander)

雖然我看來像一條蟲，但我是兩棲類動物呢！

蚓螈 (Caecilian)

冷血

兩棲類動物都是**冷血**的，牠們無法控制體溫。牠們會受天氣和周圍環境的影響，而變得較熱或較冷。

濕滑的皮膚

大部分兩棲類動物都有光滑、濕潤的皮膚，上面沒有鱗片或毛髮。最特別的是牠們的皮膚可以用來**吸收氧氣**。

多足動物

蒼蠅 (Fly)

蜻蜓 (Dragonfly)

一些令人毛骨悚然、會爬來爬去的動物，例如蒼蠅、螞蟻、蜘蛛、螃蟹等，都屬於同一個龐大的動物家族，稱為**節肢動物**。

昆蟲世界

節肢動物是地球上家族最龐大的動物。牠們的總數比其他任何動物都要**多**，而且牠們在地球上已存活了數百萬年。

飛蛾 (Moth)

瓢蟲 (Ladybird)

蜜蜂 (Bee)

蝴蝶 (Butterfly)

節肢動物的類別

地球上數以千計的節肢動物被分為不同的類別，請看看右邊的主要類別。

昆蟲類

蜜蜂、螞蟻、蒼蠅和甲蟲都是昆蟲。昆蟲**有六隻腳**，身體分為三個部分。大部分昆蟲都有翅膀。

螞蟻 (Ant)

如果你想辨認節肢動物的類別，最好的方法是數一數牠們有多少隻腳。

蜈蚣和千足蟲（馬陸）都屬於節肢動物中的多足類。

蜈蚣 (Centipede)

蠍子 (Scorpion)

潮蟲 (Woodlouse)

蟹 (Crab)

蜘蛛 (Spider)

捕鳥蛛 (Tarantula)

龍蝦 (Lobster)

蛛形類

蛛形綱動物包括了蜘蛛和蠍子。牠們都有**八隻腳**，沒有翅膀。

甲殼類

蟹和龍蝦等動物被稱為甲殼綱動物。牠們一般有**十隻腳或以上**。

龍蝦的前肢稱為螯。

盲蛛 (Harvestman)

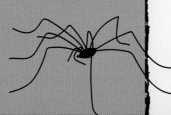

舒適的棲息地

動物在全球不同的地方生活，這些地方稱為**棲息地**。每個棲息地都有一些動物是特別適合生活於當地的。

雨林

這些多雨的熱帶雨林裏，有物種豐富的植物和動物。雨林的天氣都是非常**炎熱**、**潮濕**，居住於雨林裏的動植物約佔全球物種的一半。

雨林裏有很多美味的水果。

濕地

濕地是連接陸地與水之間的地方，某些濕地會非常**濕漉漉**和**軟綿綿**。濕地上通常會滿布各種各樣的動物，例如魚類、鳥類、爬蟲類和兩棲類等。

我很慶幸能住在潮濕的地方，要不然我可能變成「青蛙乾」了！

森林

雖然雨林**又熱又潮濕**,但也有些森林擁有溫暖的夏季和寒冷的冬季。

> 這個森林裏長滿了高大的樹木,讓我能隨意攀爬。

草原

許多在草原上生活的動物都是成羣結隊地活動的。牠們常常為了食物而到處移動,尋找新的**草地**。

> 我被譽為「森林之王」,但其實我是草原上最厲害的獵人。

其他棲息地

動物擁有非常厲害的適應能力,我們幾乎在地球上每一個角落都能找到動物。右邊這些都是被某些動物視為**家園**的地方。

 城市

 洞穴

 河流

 珊瑚礁

極端的棲息地

有些動物的棲息地是人類難以到達的，不過在這些地方生活的動物都**特別適應**周遭的環境。

海洋

地球的海洋中充滿了**各種各樣**的動物，包括魚類、哺乳類動物等。大部分動物都在接近海面的地方生活，因為海洋的深處又黑又冷。

我是八爪魚。你可以在地球上大部分的海洋中發現我們的蹤跡。

荒漠

一些極少下雨的地方被稱為荒漠。由於荒漠的**水源非常少**，生存艱難，能在荒漠中生活的動物並不多。

我是棘蜥，我生活的地方非常炎熱和乾燥。

山區

山區的土壤不多，因此沒有太多可以供動物食用的**植物**。山區的天氣可能會非常寒冷。

我們這些山羊都很擅長攀爬。

極地

地球最南和最北的地方被稱為極地（北極和南極）。那裏**嚴寒**、**乾燥**，難以找到食物。

我是海象。我體內的脂肪有助我在寒冷的環境中保持溫暖。

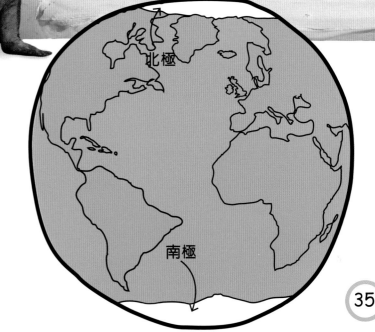

不同的荒漠

大部分荒漠都是布滿沙子或岩石的，而且極度炎熱。不過，地球上**最寒冷的地方**——南極，也是一個荒漠。

北極

南極

維持體態的秘密

動物有許多不同的**外形**與**大小**，不過動物是如何保持牠們的體態、保持直立和隨意移動的呢？

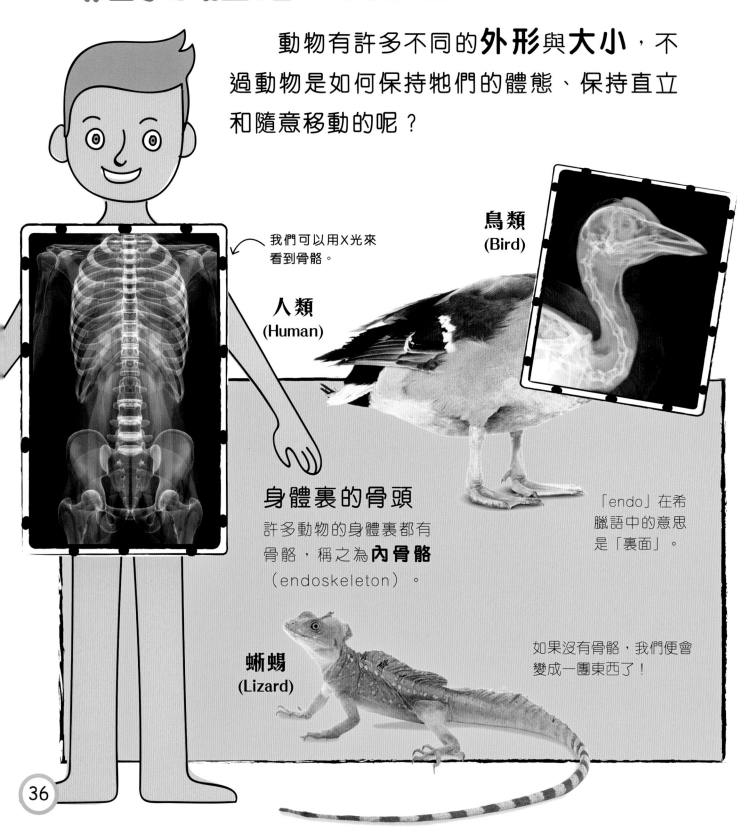

我們可以用X光來看到骨骼。

人類
(Human)

鳥類
(Bird)

「endo」在希臘語中的意思是「裏面」。

身體裏的骨頭

許多動物的身體裏都有骨骼，稱之為**內骨骼**（endoskeleton）。

蜥蜴
(Lizard)

如果沒有骨骼，我們便會變成一團東西了！

所有昆蟲都有外骨骼。

身體外的骨頭

許多小動物都沒有骨骼，但牠們的身體外面有一層硬殼，稱為**外骨骼**（exoskeleton）。

「exo」在希臘語中的意思是「外面」。

蟹 (Crab)

甲蟲
(Beetle)

蝸牛 (Snail)

外骨骼的作用就像盔甲一樣。

沒有骨骼！

有些動物的身體裏面**或**外面都沒有骨骼，但牠們的體內有液體支撐，而肌肉也能幫助牠們移動。

水母
(Jellyfish)

海葵 (Anemone)

你可以看見我身上一環一環的肌肉，它們包裹着我體內的液體。

蚯蚓 (Earthworm)

水母會利用它們的肌肉，將水推進身體裏和推出身體外，從而讓自己移動。

超級骨骼

動物基於牠們的**需要**，會擁有不同種類的骨骼。有些骨骼很堅固，有的則可能很輕盈或很有彈性。

大象 (Elephant)

我的長鼻子裏沒有骨頭。

象鼻在哪兒？

大象以牠們的**長鼻子**最為人熟知，不過當你觀察大象的骨骼時，你不會找到大象的鼻骨！因為象鼻全是由肌肉組成，裏面沒有骨頭。

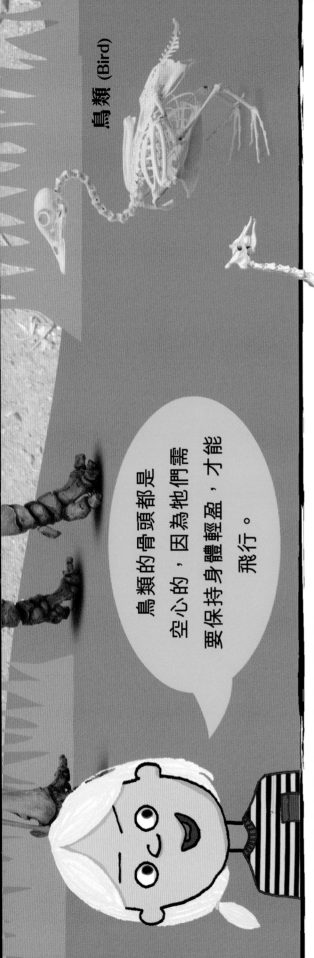

鳥類 (Bird)

鳥類的骨頭都是空心的，因為牠們需要保持身體輕盈，才能飛行。

以下是其他動物的骨骼：

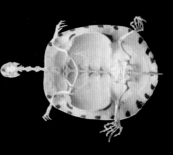

陸龜 (Tortoise)

陸龜的身體裏面和外面都有骨頭。

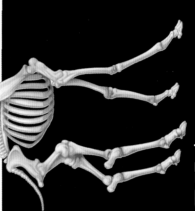

長頸鹿 (Giraffe)

令人出乎意料的是，長頸鹿的頸部只有7塊骨頭，與人類頸部的骨頭數量相同。

蛇 (Snake)

蛇的身體之所以彎彎曲曲，是因為牠們的背部有許多骨頭。

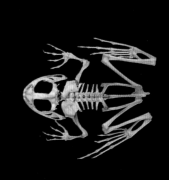

青蛙 (Frog)

為了可以遠距離跳躍，青蛙的腳趾骨和後肢骨都很長。

無脊椎動物

地球上大部分動物都是**無脊椎動物**，即是牠們沒有脊骨。哪裏可以找到無脊椎動物呢？牠們幾乎無處不在！

地球上每十隻動物便有九隻是無脊椎動物！

在水中

河流和**海洋**中充滿了無脊椎動物，包括擁有堅硬外殼的龍蝦，還有柔軟和黏答答的水母等。

海膽 (Sea urchin)

龍蝦 (Lobster)

水母 (Jellyfish)

在地上

看看你的腳下和周圍的地方，數以百萬計的無脊椎動物正在地上或**土壤**下生活，例如蠕蟲、潮蟲，還有許多不同的甲蟲。

蠕蟲 (Worm)

我雖然沒有脊骨，但是非常兇猛！

鍬形蟲 (Stag beetle)

潮蟲 (Woodlouse)

40

什麼是脊骨？

脊骨就像骨骼中的樑柱，用來**支撐**動物的身體。無脊椎動物沒有內骨骼，但牠們擁有堅硬的外殼或充滿液體的身體。

人類不是無脊椎動物，我們擁有脊骨。

在植物上

如果你仔細觀察**植物**或**樹木**，便會看見它們的身上有許多小動物在爬行。螞蟻、竹節蟲和蜘蛛都是無脊椎動物。

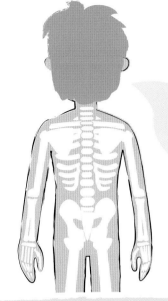

竹節蟲
(Stick insect)

蜘蛛 (Spider)

螞蟻 (Ant)

在天空中

除了鳥類和蝙蝠，大部分會**飛行的動物**都是無脊椎動物，包括蜜蜂、黃蜂、蒼蠅、蝴蝶、飛蛾和蚊子。

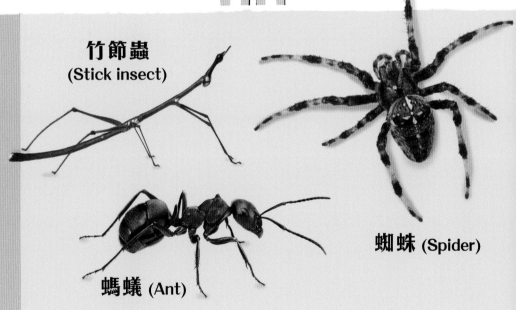

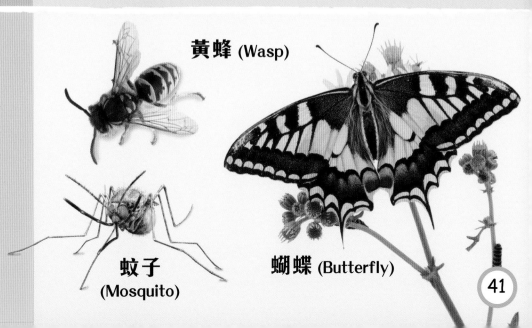

黃蜂 (Wasp)

蚊子
(Mosquito)

蝴蝶 (Butterfly)

長有羽毛的動物

鳥類的外貌可能非常不同，但牠們都有**翅膀**、**羽毛**和**喙**，而且全都會**生蛋**。不過，不是所有鳥類都會飛。

骨頭

絨羽

翼羽

廓羽

空心的骨頭

大部分鳥類的骨頭裏都充滿了細小的氣囊，讓身體保持**輕盈**，以作飛行。大部分鳥類的骨骼重量，甚至比牠們身上所有羽毛更輕。

羽毛	蛋	喙
鳥類有不同種類的羽毛，它們擁有不同的功用，例如飛行或保暖。羽毛是由**角蛋白**形成——即與人類指甲是同一種物質。	鳥寶寶是從蛋中孵化出來的。鳥蛋有各種**形狀**、**大小**和**顏色**。鳥類一般會在鳥巢裏生蛋，然後才孵化鳥寶寶。	鳥類的喙會視乎鳥類**進食**什麼食物，而有不同的形狀。鈎狀的喙便於拾取種子，而長長的喙較適合捕魚。

43

傳說中的動物

在一些世代流傳的傳說中，魔幻的國度裏充滿了奇怪的動物。到底這些神奇的動物真的存在過嗎？還是牠們只是人類的**想像**和誤會？

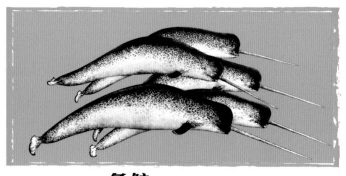

一角鯨 (Narwhal)

獨角獸

傳說中這些長有**一根角**的白色馬匹擁有治癒的能力。許多年前，不法商人會出售一角鯨的長牙，假裝它們是獨角獸的角。

獨角獸 (Unicorn)

人們數千年來不斷講述獨角獸的故事，還繪製獨角獸的畫像。

克拉肯 (Kraken)

克拉肯

來自挪威神話的克拉肯是一種體形龐大的海怪，有長長的**觸鬚**。這種神秘的怪獸會不會只是一隻巨型烏賊？

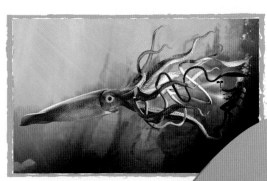

巨烏賊
(Giant squid)

龍

這些會飛的爬蟲類動物在世界各地傳說中都是主要角色。有些故事將牠們描述成敵人，也有其他故事說牠們會帶來**好運**。人們估計，古人誤將恐龍的化石當作龍的遺骸。

恐龍化石

龍 (Dragon)

動物的親屬

　　地球已有很久的歷史，而許多動物都在漫長的時間中**改變了**。不過，某些在多年前生活在地球的動物，與現今的動物有非常相似的外表。

古時

猛獁象與早期的人類曾經同時存在。

　　猛獁象就像一隻龐大的**大象**，擁有較大的象牙，看似穿了一件毛茸茸的大衣。這件「大衣」有助猛獁象在嚴寒的冰河時期中保持溫暖。

現時

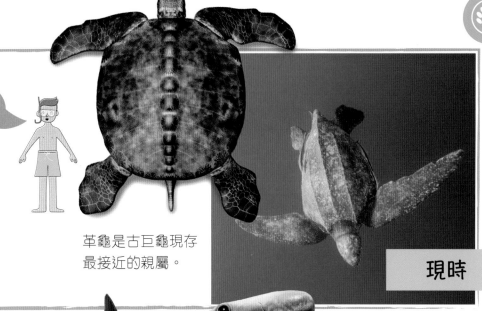

古時

> 嘩，牠真的很大！

古巨龜是一種巨大的**海龜**，牠身體的長度大約等同一隻長頸鹿的身高！

革龜是古巨龜現存最接近的親屬。

現時

古時

巨牙鯊是一種致命的鯊魚，牠的體形較**大白鯊**——現今最致命的鯊魚——還要大三倍。

巨牙鯊的牙齒就像人類的手掌那麼大！

現時

古時

斯劍虎長得很像擁有長牙的**老虎**或**美洲豹**，但牠們與現存的所有貓科動物都沒有血緣關係。

斯劍虎擁有長而鋒利的牙齒。

現時

恐龍

在遙遠的古代，人類還未出現的數百萬年前，這些強大的**爬蟲類動物**曾經在地球上橫行無忌。

甲龍被堅硬的骨板覆蓋，以保護身體。

甲龍
（Ankylosaurus）

劍龍
（Stegosaurus）

恐龍（dinosaur）這個詞語的意思是

源自古代的線索

化石是很久以前的動物與植物遺骸，可以在岩石和冰層中發現。科學家透過研究化石來了解恐龍。

化石中的恐龍骨骼

存在時間

恐龍存在了一段漫長的時間，大部分
種類不同的恐龍可能**從未相遇**。

始祖鳥
（Archaeopteryx）

暴龍
（Tyrannosaurus rex）

暴龍是一種兇猛的捕食者，
擁有非常鋒利的牙齒。

「可怕的蜥蜴」！

恐龍去哪裏了？

大約在6,500萬年前，一顆巨大的
隕石撞向地球，只有細小的動物存
活下來，這就是恐龍在地球上消失
的其中一個原因。

不好了，看看
什麼來了！

尋找化石

　　有些動物曾經在地球上活動，但已經不再存在了，我們稱之為**絕種動物**。我們對這些動物的認識都是來自對化石的研究。

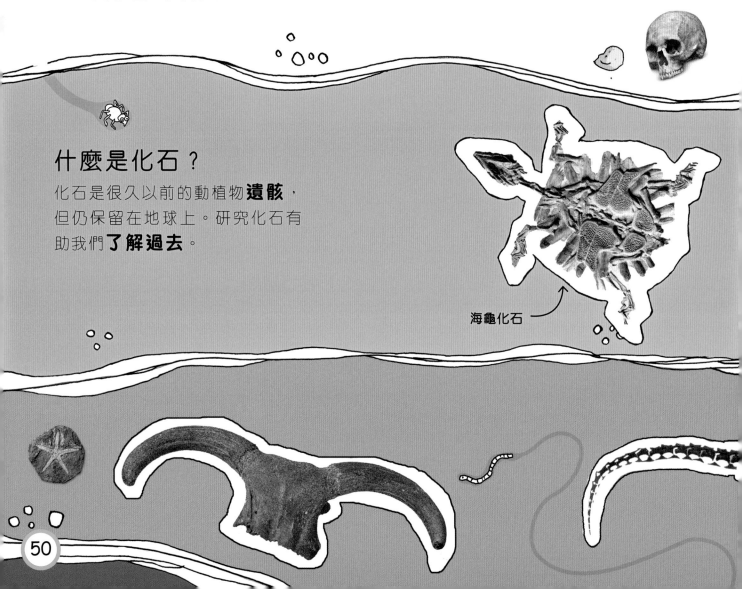

什麼是化石？

化石是很久以前的動植物**遺骸**，但仍保留在地球上。研究化石有助我們**了解過去**。

海龜化石

化石從哪裏來？

如果生物死後迅速被**埋葬**，才會變成化石。最常見的化石是迅速在柔軟的海牀中沉沒的貝殼。

化石可能保存在岩石、琥珀或冰層裏。

骨骼、牙齒、蛋、腳印，甚至糞便都可能變成化石。

魚化石

恐龍化石

物體要花上數百萬年的時間才能變成化石，所以非常稀有。

瀕危動物

　　有些動物不幸地成為瀕危動物，意思是牠們在野外存活的數量**不多**。不過，人們正努力地改變現況。

好消息

由於捕鯨活動被禁止，**座頭鯨**的數量已經回升，牠們不再是瀕危動物了！

瀕危的原因

大部分動物都是因為遭到人類**捕獵**，或是被人類**破壞**了牠們的棲息地而變得瀕危。

謝謝你們保護我們的安全！

藍鰭吞拿魚
（保護狀況：瀕危）

儒艮
（保護狀況：易危）

玳瑁
（保護狀況：極危）

極危

這些動物都面對**絕種**的危機。除非採取相應的行動,否則牠們很快就不會存在了。

蘇門答臘虎
(Sumatran tiger)

山地大猩猩
(Mountain gorilla)

隱鷺
(Northern bald ibis)

瀕危

如果我們不小心對待這些動物,牠們就可能會絕種。這些瀕危動物在野外存活的數量已**非常少**。

非洲野犬
(African wild dog)

加拉帕戈斯企鵝
(Galapagos penguin)

新西蘭海獅
(New Zealand sea lion)

小熊貓
(Red panda)

易危

這些都是易危動物的例子。牠們在野外存活的數字已低得令人**關注**。

北極熊
(Polar bear)

非洲象
(African elephant)

海鬣蜥
(Marine iguana)

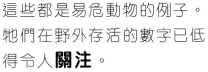

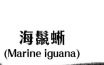

奇妙的動物

　　無論是長有羽毛或毛茸茸的，光滑或有鱗片的，友善或兇猛的，每個人都有他們**喜愛的動物**。快翻開書頁，認識各種奇妙的動物，看看有趣的知識吧！你可能在閱讀時，喜歡上某些動物呢！

建築大師河狸

河狸是動物世界的**建築大師**，牠們會建造特別的房子，以保護自己的安全，並抵禦寒冷的天氣。

堤壩

甜蜜的家

河狸會利用樹枝、泥土和石頭，在河流上築起**堤壩**。堤壩會阻止水流，為建立家園創造了完美的環境。

有用的牙齒

我們建造房屋時，會使用工具和大型機械，但河狸建屋時唯一需要的工具就是牠們那些非常**鋒利的牙齒**！

巢穴

河狸會將家的入口設於水底，
防止捕食者入侵。

河狸的家被稱為
「巢穴」。

水底入口

利齒能幫助河狸
咬斷樹木。

河狸有扁平的尾巴，
幫助牠們游泳。牠們
也會利用尾巴拍打水
面，在遇上危險時通
知同伴。

57

令人訝異的虎鯨

　　虎鯨又稱為**殺人鯨**，這種聰敏而龐大的動物生活在全球各地的海洋中。牠們的外表就像一尾大魚，但實質上是哺乳類動物。

背鰭有助虎鯨在游泳時保持平衡。

雖然虎鯨被稱為鯨，但其實是一種海豚。

巨大的尾鰭讓虎鯨在水中游動。

稱為鯨脂的厚脂肪讓虎鯨保持溫暖。

羣居生活

虎鯨會與家人一同生活，組成的羣體稱為**鯨羣**。牠們會利用連串的滴答聲和口哨聲來互相溝通。

虎鯨能夠將水從噴氣孔高高地噴向空中。

巨大的獵人

這種巨獸是海洋中極致命的獵人，牠們幾乎無所畏懼。牠們會成羣結隊地捕捉獵物。

我還是快點逃走吧。虎鯨很喜歡吃海豹的！

59

穿山甲的鱗片大衣

那是一個會走路的松果，還是帶刺的食蟻獸？不對，牠是擁有超多鱗片的**穿山甲**！牠是世上唯一一種長有鱗片的哺乳類動物。

穿山甲寶寶會攀在媽媽的尾巴上，直至牠強壯得能夠自己走路。

穿山甲出生時，身上的鱗片仍是柔軟的，它們會隨時間而變得堅硬。

穿山甲的舌頭能夠比牠的身體更長。

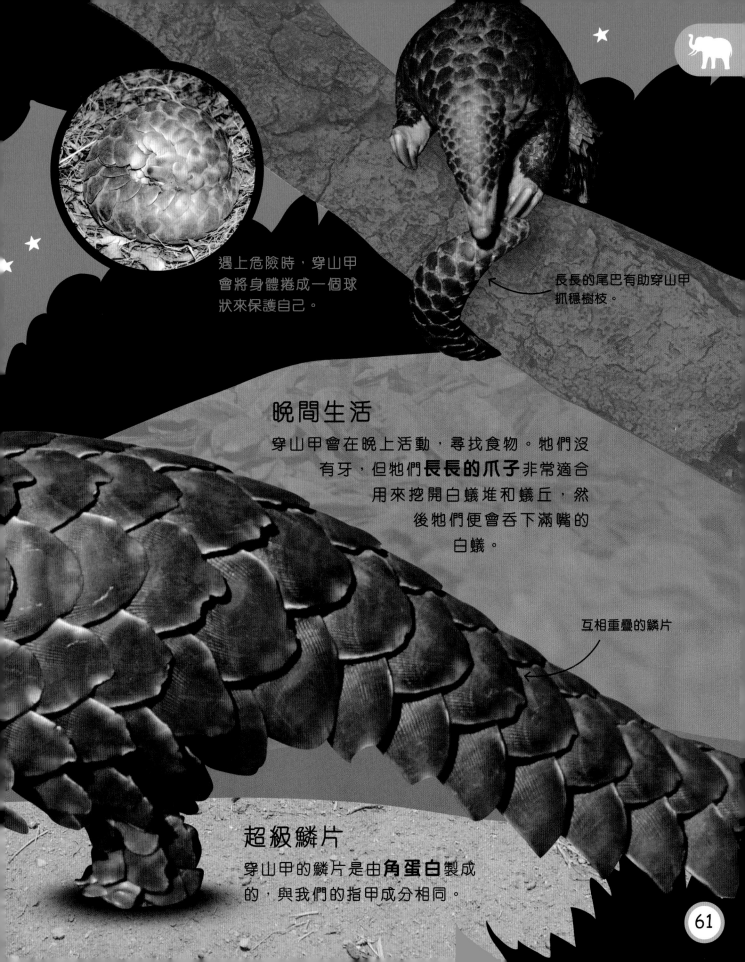

遇上危險時，穿山甲會將身體捲成一個球狀來保護自己。

長長的尾巴有助穿山甲抓穩樹枝。

晚間生活

穿山甲會在晚上活動，尋找食物。牠們沒有牙，但牠們**長長的爪子**非常適合用來挖開白蟻堆和蟻丘，然後牠們便會吞下滿嘴的白蟻。

互相重疊的鱗片

超級鱗片

穿山甲的鱗片是由**角蛋白**製成的，與我們的指甲成分相同。

小故事：英勇的雪橇犬

這是一個關於狗不惜一切救助整個城鎮的英勇故事，也是一個好例子，說明狗為何被視為**人類最好的朋友**。

1925年冬天，美國阿拉斯加州諾姆鎮的許多居民都患上重病。當時鎮上沒有任何**藥物**，而且天氣**太惡劣**，船隻、飛機或馬匹都無法幫忙把藥物運到鎮上。

城鎮的唯一希望便落在一羣勇敢的人與他們飼養的**雪橇犬**身上。他們合作以接力的方式，用雪橇運送藥物。

由於天氣太寒冷，河流和湖泊都結冰了。

北

諾姆

尼納納

人與狗展開一段危機四伏的旅程，路程達1,085公里。他們要抵抗寒風和零下低溫。

這段旅程花了五日五夜……

最終，他們帶着藥物抵達諾姆鎮，雖然筋疲力盡，但充滿喜悅，鎮上的病人也獲救了！勇敢的狗與人都成為了大英雄。

時至今日，在美國紐約中央公園裏仍豎立了一座雕像，以記念英勇的雪橇犬與雪橇駕駛員。

活在北極的熊

這些巨大、堅毅的熊，生活在極為**寒冷**的北極。
北極熊特別適合在嚴寒的環境下生活。

我是世上其中一種體形最龐大又最強壯的動物。我不怕冷！

超級泳手

北極熊是出色的泳手。牠們會潛進**冰封的水域**裏，在不同區域的海冰中活動。

北極熊寶寶被稱為幼獸。

小心！那些熊看來很餓呢！

北極熊的毛在雪地和陽光的反射下呈白色，這些白色毛有助牠們在冰上狩獵時隱藏蹤跡。

北極

海獅
（Seal）

聰敏的黑猩猩

　　黑猩猩屬於一種名為猿類的動物，牠們也是人類現存最接近的動物親屬。地球上沒有其他動物比黑猩猩更像**人類**。

便利的手

黑猩猩擁有與其他手指相對的**拇指**，就像人類一樣。這代表牠們能抓住物件和使用工具。

黑猩猩的手

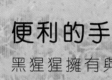

黑猩猩很聰明！

家人和朋友

黑猩猩會成羣地一起生活，形成**黑猩猩羣**。黑猩猩羣的成員會互相梳理毛髮，以保持清潔，並與支持牠們的黑猩猩交朋友。

黑猩猩擁有長長的手臂，很適合在樹枝之間盪來盪去。

牠們懂得使用工具，例如棍棒。

黑猩猩寶寶

黑猩猩一般走路時會四肢着地，用指關節前行。

黑猩猩能利用臉部表情和聲音溝通。

體形龐大的大象

作為地球上最龐大的陸上動物，大象的一切都很**大**——特別是牠們的胃口！

亞洲象有較小的耳朵。

非洲象有巨大的耳朵。

進食機器

大象需要**大量**進食與喝水。牠們每天喝下的水足以填滿整個浴缸！

一隻大象的重量可等同三輛汽車！

大象會進食大量食物，也代表牠們會排出許多糞便！

大象的種類

非洲象擁有巨大的耳朵，看起來就像**非洲**地圖一樣。亞洲象有較小的耳朵，看似**印度**的地圖。

印度

非洲

非洲象
（African elephant）

大象會用牠們的鼻子呼吸、採集食物和將食物送進嘴巴裹，還會用鼻子來噴水。

大食蟻獸

這些飢餓的生物會利用牠們的鼻子嗅出螞蟻和白蟻的**巢穴**。找到巢穴對食蟻獸而言是好消息，但對牠們的獵物來說便是噩耗了！

再接再厲

食蟻獸捕食時會很小心，避免破壞牠們發現的巢穴。牠們會耐心地等待巢穴**復原**，好讓牠們可以再去飽餐一頓！

嗚呀！別碰我們的巢穴。我們剛剛才把它修理好呀！

食蟻獸沒有牙齒。牠們會將食物完整地吞下去！

尋找食物

當食蟻獸找到目標的巢穴時，牠們便會用鋒利的爪在巢穴上挖出一些孔洞，然後將**長長的舌頭**伸進洞裏大快朵頤。牠們必須迅速地進食，否則便可能會被螞蟻叮咬！

食蟻獸的舌頭被唾液和細小的尖刺覆蓋住，以助獵物牢牢地黏在舌頭上。

食蟻獸的舌頭可伸長至超過60厘米。

食蟻獸每天可以吃掉多達35,000隻螞蟻和白蟻！

大貓一族

　　我們可愛又毛茸茸的寵物貓，其實與獅子、老虎等其他大貓來自同一家族。你能找出牠們的相似之處嗎？

豹 (Leopard)

貓科家族

所有貓都是肉食動物，因此牠們慣於**捕獵**。牠們全都能以強力咬住和抓住獵物，用尖銳的牙齒將肉撕下來，牠們還有非常鋒利的爪。

獵豹的身形苗條和高大。牠們是地球上最快的陸地動物。

家貓
(Domestic cat)

美洲獅
(Cougar)

雪豹
(Snow leopard)

獵豹
(Cheetah)

只有成年的雄性獅子
長有鬃毛。

老虎的體形是在貓科動物
中最龐大的。

獅子 **(Lion)**

老虎
（Tiger）

黑豹實際上是擁有獨特毛色
的美洲豹或豹。

黑豹
(Black panther)

美洲豹
(Jaguar)

許多蝙蝠在睡覺時會上下顛倒地
懸掛在樹枝與岩石上。

馬鐵菊頭蝠
(Greater horseshoe bat)

在蝙蝠洞裏

儘管有些哺乳類動物能滑翔，但唯一能**飛行**的
哺乳類動物就只有蝙蝠。不僅如此，在漆黑中，牠
們還能用特別的方式辨別方向。

蝙蝠的族羣中可以有超
過2,000萬隻蝙蝠！

有些蝙蝠喜愛社交，牠們會聚集成

吸血蝙蝠依靠吸食
牛與其他動物的血
液維生。

吸血蝙蝠
(Vampire bat)

視力不好的蝙蝠

蝙蝠會在白天睡覺，許多蝙蝠都居住在黑暗
的洞穴裏。大部分蝙蝠都沒有良好**視力**，但
牠們有極佳的聽力和回聲定位的能力，可以
彌補缺陷。

長耳蝠
(Long-eared bat)

世上有超過1,300種
不同的蝙蝠。

一個龐大的族羣。

吱吱　吱吱

回聲定位

蝙蝠利用聲音辨別方向。牠們會發出高頻的叫聲,能夠
穿越空中,並在碰上樹木與障礙物時反彈。蝙蝠便能利
用**回音**來「看東西」。

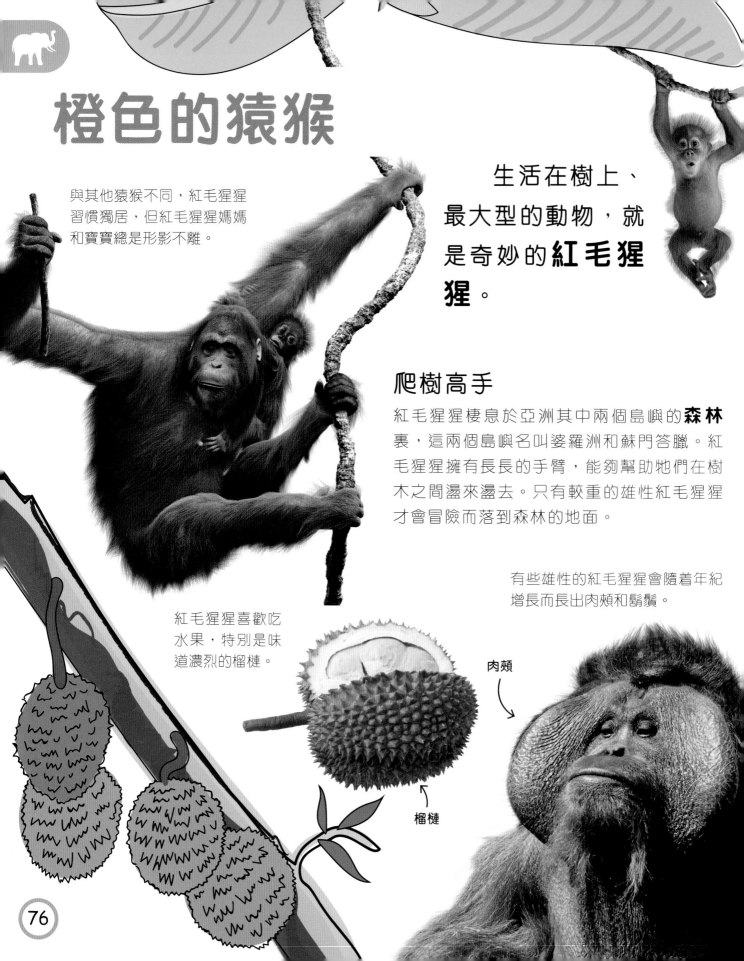

橙色的猿猴

與其他猿猴不同，紅毛猩猩習慣獨居，但紅毛猩猩媽媽和寶寶總是形影不離。

生活在樹上、最大型的動物，就是奇妙的**紅毛猩猩**。

爬樹高手

紅毛猩猩棲息於亞洲其中兩個島嶼的**森林**裏，這兩個島嶼名叫婆羅洲和蘇門答臘。紅毛猩猩擁有長長的手臂，能夠幫助牠們在樹木之間盪來盪去。只有較重的雄性紅毛猩猩才會冒險而落到森林的地面。

有些雄性的紅毛猩猩會隨着年紀增長而長出肉頰和鬍鬚。

紅毛猩猩喜歡吃水果，特別是味道濃烈的榴槤。

肉頰

榴槤

小故事：獅子和老鼠

有一天，一隻**小老鼠**出門散步時，被一隻巨大的**獅子**阻擋了牠的去路。

如果我非常安靜，也許獅子就不會被吵醒了。

小老鼠別無選擇之下，只好爬過熟睡中的獅子。突然，獅子**醒過來了**，一把抓住了小老鼠的尾巴！

「告訴我吧，小老鼠，為什麼我不應該把你吃掉？」獅子説。

「如果你不吃掉我，我保證終有一天可以幫助你。」小老鼠説。

獅子覺得這話太好笑了，牠決定**放走小老鼠**。「像你這樣細小的老鼠，絕不可能幫助到我這樣壯碩的獅子！」獅子大笑着說。

數星期後，小老鼠聽到一聲響亮的吼叫聲，聽起來似乎是獅子**遇上麻煩**了。

吼！吼！

原來獅子被**獵人的網**困住了！小老鼠知道要怎樣做可以救到牠。

牠開始不停咬網上的繩子，咬了又咬，直到獅子重獲**自由**。獅子驚訝極了！

我錯了，小老鼠！你也許很細小，但你也能夠做到很厲害的事情！

倉鴞

倉鴞是貓頭鷹的一種，而貓頭鷹是鳥類世界中出色的**獵人**。看看以下的圖片，了解一下一顆小小的鳥蛋是如何變成技術超羣的捕獵大師。

就如所有鳥類一樣，貓頭鷹是從蛋裏**孵化**誕生的。當牠們準備好要出生時，會利用喙上一顆特殊的牙齒來敲破蛋殼。

數星期後，貓頭鷹便會變成毛茸茸的**雛鳥**。首先，牠們會長出絨羽來保暖，再過一陣子後牠們會長出翼羽。

倉鴞又被稱為「穀倉貓頭鷹」，但並不是全部倉鴞都住在穀倉裏，牠們只是喜歡在室內築巢。

沒多久，當貓頭鷹的體形、力量與平衡力都充分發展，便會離開鳥巢，**振翅飛行**。

特殊技能

貓頭鷹的身體擁有特別構造，幫助牠們尋找及捕捉獵物。

眼睛

貓頭鷹有一雙大眼睛，可在昏暗的環境中看得更清楚。

耳朵

貓頭鷹的聽力比世上任何一種動物都要優秀。牠們兩邊的耳朵是不對稱的，有助牠們在黑暗中鎖定獵物。

大部分貓頭鷹都會嗚嗚叫，但是我們倉鴞會發出尖銳的叫聲。

羽毛

貓頭鷹有特殊的羽毛，讓牠們安靜地飛行。這代表牠們可以偷偷接近獵物，出其不意地將牠們抓住。

爪

貓頭鷹鋒利的爪可以讓牠們輕鬆地抓住細小的哺乳類動物，例如老鼠、田鼠和鼩鼱等。

小與大

所有鳥類都會生蛋，牠們都擁有羽毛、翅膀和喙。不過，牠們之間的**差異**可以很大，蜂鳥和駝鳥就是最佳的例子。

蜂鳥

蜂鳥是世界上最細小的鳥類之一，有些蜂鳥細小得像一隻蜜蜂。蜂鳥是出色的飛行員，能夠每秒拍動翅膀**80次**！

蜂鳥能夠往後飛行，在半空中盤旋，甚至上下顛倒地飛行。

長長的喙能夠幫助蜂鳥吸取花朵裏面的花蜜。

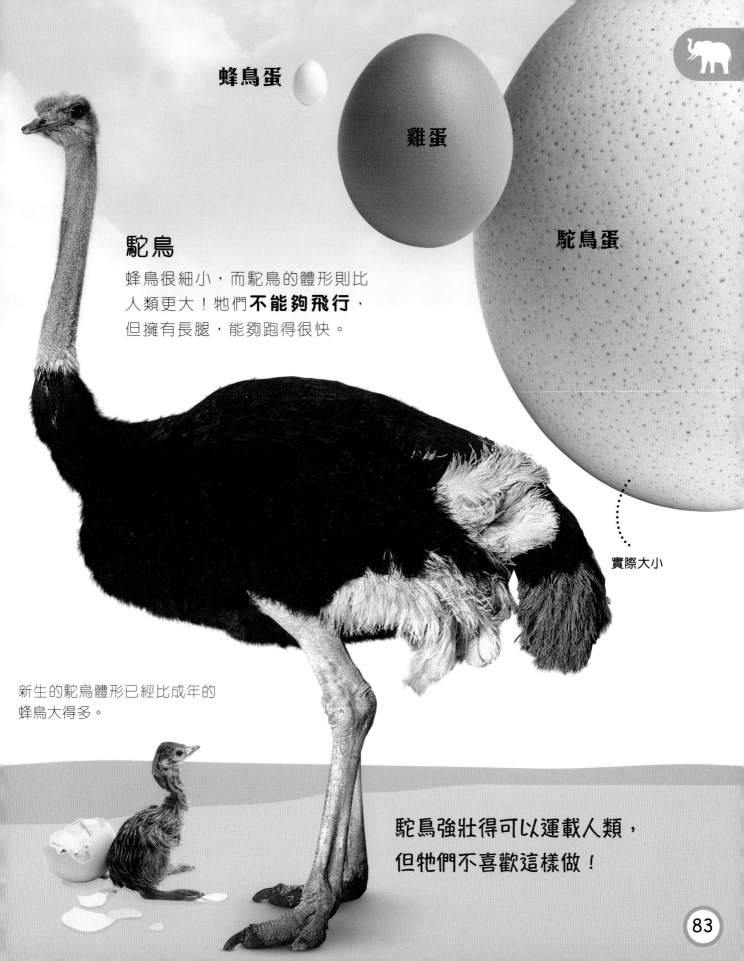

蜂鳥蛋

雞蛋

駝鳥蛋

駝鳥

蜂鳥很細小，而駝鳥的體形則比人類更大！牠們**不能夠飛行**，但擁有長腿，能夠跑得很快。

實際大小

新生的駝鳥體形已經比成年的蜂鳥大得多。

駝鳥強壯得可以運載人類，但牠們不喜歡這樣做！

企鵝派對

企鵝這種有趣的鳥類大多生活在非常**寒冷**的地方，不過牠們有幾種方法來保暖。

保暖方法

企鵝的羽毛會緊密地交疊在一起，這樣可以**困住空氣**，減低體溫流失。

當天氣變得非常寒冷，皇帝企鵝會聚集在一起來取暖。

企鵝的種類

地球上有17種不同的企鵝品種。小藍企鵝是最細小的企鵝，牠的身高只比這本書高一點點！

皇帝企鵝
(Emperor Penguin)

國王企鵝
(King Penguin)

到處遊走

企鵝**不會飛**，但牠們都是游泳高手，能夠在水中毫不費力地移動。

企鵝會吃魚、磷蝦和魷魚。

企鵝的翅膀讓牠們能在水中「飛行」。

巴布亞企鵝
(Gentoo Penguin)

阿德利企鵝
(Adelie Penguin)

跳岩企鵝
(Rockhopper Penguin)

小藍企鵝
(Little Penguin)

金鵰

當提及狩獵高手，人們第一時間可能會想起獅子、老虎或鯊魚。不過，大家不應該忘記這位來自天空的**狩獵大師**。

金鵰的翅膀完全展開後，比一個人的身高還要長。

天生獵人

金鵰擁有非凡的飛行速度、厲害的利爪和出色的視力，牠們是驚人的**獵人**。牠們唯一要擔心的，就是遇上其他獵鷹。

堅硬的鈎狀喙

金鵰因冠部的金色羽毛而命名。

空中監視

金鵰能夠從空中找出牠們的獵物，然後向獵物**俯衝**過去。牠們會把翅膀收進身體裏，幫助牠們達至極快的速度。

金鵰會單獨狩獵，或是成對行動。

像刀刃般鋒利的爪

鳥類、兔子、狐狸，甚至鹿都是金鵰手到拿來的獵物。

天堂鳥

許多鳥類的外表都非常鮮豔，色彩繽紛，不過雄性的天堂鳥卻是真正吸引目光的焦點。牠們濃烈的色彩與蓬鬆的羽毛尤其引人注目！

薩克森王天堂鳥
(King of
Saxony bird
of paradise)

新幾內亞天堂鳥
(Raggiana bird
of paradise)

牠們住在哪裏？

這種美麗動人的鳥類大多生活在新幾內亞的**熱帶雨林**裏。新幾內亞是太平洋的一個島嶼，位於澳洲附近。

威氏麗色風鳥
(Wilson's bird
of paradise)

公主長尾風鳥
(Stephanie's
astrapia)

紅天堂鳥
(Red bird
of paradise)

只有雄性天堂鳥擁有
鮮豔的色彩。

十二線天堂鳥
(Twelve wired bird
of paradise)

雄性

雌性

舞蹈表演

雄性天堂鳥會竭盡所能來**取悦**雌鳥，例如跳舞、頭下腳上地倒掛，還有發出有趣的聲音。

看看雄性小掩鼻風鳥有趣的舞蹈吧！

舞蹈開始了……

這隻雄鳥跳出了令人印象深刻的舞步……

最終雌鳥被吸引而來！

鎚頭鯊

　　這種鯊魚的樣子可能有點**古怪**，但牠們寬闊的頭部和與眾不同的眼睛位置，意味着牠們擁有非常出色的**視力**。

鎚頭鯊住在温暖的熱帶海域裏。

我會在海牀附近搖晃頭部，以尋找食物。

超級視力

鎚頭鯊的頭部兩側各長有一隻眼睛，代表鎚頭鯊能夠看到**不同的方向**。不過，牠們也有盲點，那就是頭部的上方和下方。

看到這幅圖就知道鎚頭鯊為何得名了！

鎚頭鯊的眼睛位於頭部的兩側。

魟魚，小心啊！

鎚頭鯊會游近海牀，將頭部從一邊移向另一邊。牠們頭上的**感應器**會幫助牠們找出隱藏在沙子下的魟魚。當鎚頭鯊找到魟魚，就會用頭將魟魚固定並吃掉。

像我這樣的魟魚是鎚頭鯊最喜愛的食物。

海洋中的飛行員

鬼蝠魟是海洋中的**巨無霸**。
當牠們優雅地拍動巨大的魚鰭時，
看來就像在水中**飛翔**。

鬼蝠魟有時會躍出海面。

溫柔的巨人

鬼蝠魟兩邊鰭尖的距離比**長頸鹿的高度**更長！如此巨大的生物也許看起來很可怕，但鬼蝠魟對大部分動物來說並不危險，牠們只吃細小的浮游生物。

鬼蝠魟會在溫暖又開闊的海洋中，

小小的刺人動物

鬼蝠魟只是魟魚家族的成員之一。其他魟魚體形較細小，通常擁有能引起痛楚的毒刺。

藍斑條尾魟
(Bluespotted ribbontail ray)

牠們身上的藍色斑點可警告其他動物不要接近。

魟魚休息站！

鬼蝠魟有時會停下來**清潔**一下自己（就像去洗車店一樣）。牠們會發出信息，然後清潔的魚便會趕來吃掉魟魚身上和嘴巴裏的微小寄生蟲。

魟魚屬於魚類，全球大約有500種魟魚。

魟魚是鯊魚的近親。

在海面附近游動。

圓魟
(Round stingray)

牠們短而粗壯的尾巴藏了一根可怕的毒刺。

藍紋魟擁有致命的毒刺，不過牠們一般都很溫馴。

藍紋魟
(Common stingray)

可怕的魚

食人鯧是一種生活在南美洲河流的多牙魚類。這種**紅肚食人鯧**是當中最兇猛的。

恐怖的笑容

食人鯧擁有**鋒利的牙齒**與**強壯的頜部**。有些食人鯧只吃水果和乾果，但紅肚食人鯧專吃昆蟲、體形較大的動物，甚至以同類為食糧！

食人鯧的英文名「piranha」意指「有牙的魚」。

瘋狂進食

如果紅肚食人鯧感到飢餓，牠們會**成羣結隊**地包圍進入水域的弱小獵物，將獵物**吃至只剩骨頭**！

一羣紅肚食人鯧可以在一分鐘內，

我們大多數會成羣結隊地游動，以免被鳥類和凱門鱷捕食。凱門鱷是短吻鱷的親屬。

將一隻動物吃光，剩下骨頭！

食人鯧的大眼睛
的水中看東西。

牠們是否致命？

食人鯧擁有**駭人聽聞**的名聲，不過牠們大部分都不吃肉。即使是紅肚食人鯧，也只會在飢餓或是缺乏活動空間時才變得具有攻擊性。

真實存在的龍！

雖然牠不會噴火也不會飛行，但這無阻**科莫多龍**成為全世界最巨型、最可怕的蜥蜴。

科莫多龍只棲息於亞洲國家印尼的島嶼上。

水牛 (Buffalo)

科莫多龍能夠捕獵體形巨大的動物，例如鹿和水牛。

蜥蜴之王

科莫多龍是爬蟲類世界的王者。牠們非常可怕，唯一害怕的東西就是比自己**體形更大**的科莫多龍！

致命的舌頭

科莫多龍最奇妙的特徵，就是牠的**舌頭**。科莫多龍會用舌頭「嗅」出遠處的獵物——甚至能在進食前先「品嘗」食物！

小心！科莫多龍的

生存直覺

只有最巨大和最強壯的科莫多龍才敢於在島嶼上捕獵。為了安全，較年幼的科莫多龍會一直居住在**樹上**，直至牠們約四歲。

鱷魚與**短吻鱷**的外表可能很相似，但牠們是不同的動物。不過，這些毫不友善的獵人有一個共通點，就是任何東西都無法逃出牠們威力無窮的雙顎！

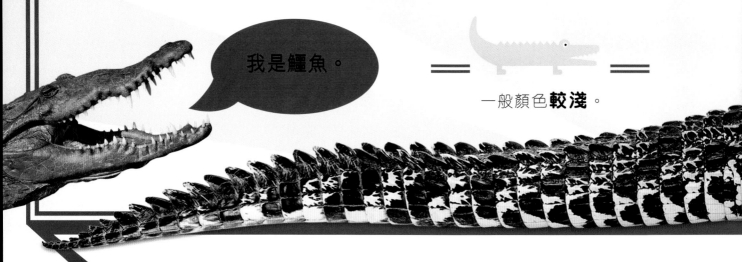

我是鱷魚。

一般顏色**較淺**。

鱷魚還是

一般顏色**較深**。

牠們擁有較短、**寬闊的「U」形**口鼻部。

短吻鱷 (Alligator)

擁有較長、**狹窄的**
「V」形口鼻部。

合上嘴巴時，仍可以
看到下排牙齒。

牠們會在**鹹水水域**和
淡水水域中生活。

鱷魚 (Crocodile)

短吻鱷？

我是短吻鱷。

合上嘴巴時，下排牙齒
會被**隱藏起來。**

牠們生活在**淡水水域。**

誰更致命？

鱷魚和短吻鱷都是危險的獵人，但鱷魚較具攻擊性，咬東西
的力量較大，而且牠們的體形也較短吻鱷大。

海龜

　　像陸龜一樣，海龜也是**爬蟲類動物**。不過，與陸龜不同的是，海龜一生大部分時間都生活在大海中，只有在生蛋時才會走到陸地上。

> 海龜是冷血的爬蟲類動物。

> 海龜寶寶需要快速地行動，否則就會很容易成為螃蟹和鳥類的食物。

孵化時間

在築巢的季節，雌性海龜會趁晚間游到岸上，然後挖出一個洞來**生蛋**。之後，牠們便會游回大海裏，讓蛋留下來。

1

雌性海龜爬過沙灘，尋找一處安全的地點來為牠的蛋挖出一個巢穴。

海龜大長征

海龜媽媽會找出**完美的海灘**來生蛋。大部分海龜都會返回牠們出生的海灘生蛋!

我能在水中閉氣長達七小時!

2 大約六星期後,海龜蛋便會孵化,海龜寶寶陸續從蛋裏爬出來。

3 海龜寶寶會自行從巢穴裏走出來,衝向大海裏求生。

色彩斑斕的變色龍

這些**與眾不同**的蜥蜴能夠在同一時間望向兩個方向，伸出舌頭，甚至改變身體的顏色。真厲害呢！

神奇的馬達加斯加

全球約一半的變色龍品種都只能在**馬達加斯加**找到。這個島嶼位於非洲海岸，是許多奇妙野生動物的家園。

變色龍能夠分別移動兩隻眼睛，令它們同時望向兩個不同的方向。

黏乎乎的陷阱

變色龍的舌尖具有黏性。牠會**伸出**舌頭來捕捉昆蟲，例如蟋蟀和蒼蠅。

多美味的蟋蟀啊！

有些變色龍幾乎能夠變成彩虹上的任何一種色彩。

豐富的色彩

變色龍最奇妙的是牠們擁有**變色**的能力。牠們會根據體溫和心情而變出不同的顏色。

變色龍的長尾巴有助牠們抓緊樹枝。

咯咯作響的蛇

鬼鬼祟祟的響尾蛇，尾巴末端有一個不斷晃動的「響環」，用來警告敵人**保持距離**。要是敵人無視警告，便可能被響尾蛇狠狠地咬一口！

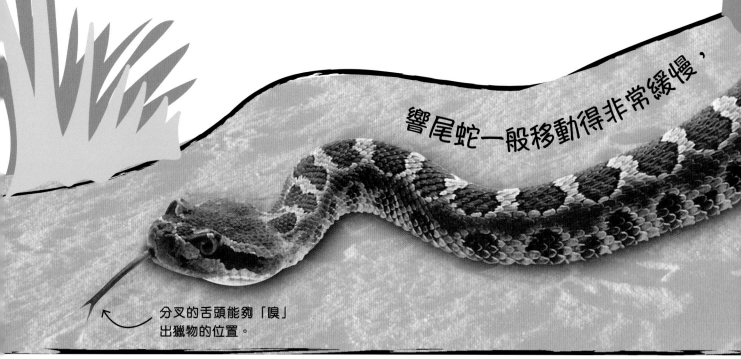

響尾蛇一般移動得非常緩慢，

分叉的舌頭能夠「嗅」出獵物的位置。

響尾蛇捕獵時的三個步驟：

1 尋找獵物

響尾蛇與我們不同，牠們沒有耳朵，因此無法聽見獵物的動靜。不過，響尾蛇能夠感受周遭的**振動**，甚至偵測到附近的熱源。牠們會利用這些特殊技能來追蹤食物。

不過當牠們一旦受到驚擾，便會變得快如閃電！

嘈吵的響環

響尾蛇的尾巴末端擁有由角蛋白形成的響環。牠們會搖動響環，發出聲響來嚇退敵人。

咯咯咯咯

響尾蛇依靠進食老鼠等小動物為生。

2 出擊

當響尾蛇發現獵物，便會用尖牙將致命的**毒液**注入獵物體內。毒液可能會殺死獵物，或令牠們昏倒而無法逃脫。

3 吞噬獵物

最後，響尾蛇會張大嘴巴，完整地將獵物**吞**進肚子裏！

攀爬高手壁虎

壁虎是一種擁有**黏附技能**的小蜥蜴。你能不能跑上牆壁，或是從天花板上倒掛起來？壁虎能做得到呢！

青藍柳趾虎
(Electric blue gecko)

到處逛

壁虎的攀爬能力來自牠腳趾上數以千計的**微細毛髮**。這些毛髮本身不具黏力，但它們太細小，會與物件的表面互相交纏，令壁虎能夠攀住物件。

微細的毛髮

壁虎是色彩繽紛的動物。

北方棘尾壁虎
(Northern spiny-tailed gecko)

壁虎沒有眼皮，因此牠們會不時舔舔眼睛，以保持眼睛清潔！

滑了一跤！

壁虎幾乎能夠黏附在任何物件上，但牠們無法克服**特氟龍**——一種用於製造易潔鑊的物料。幸好野外並沒有特氟龍！

烏氏壁虎
(Ulber's gecko)

不好了！我快滑下去了。

你能看見在樹幹上隱藏着的壁虎嗎？

棕櫚壁虎
(Palm gecko)

綠壁虎 (Green gecko)

有些壁虎甚至會變色！

猶加敦帶紋壁虎
(Yucatan banded gecko)

史氏日行壁虎
(Standing's day gecko)

青蛙的一生

青蛙是兩棲類動物，即是牠們能夠在陸地上和水中生活。青蛙的一生由蛙卵展開，經歷數次**變化**，才成為成年青蛙。

1

雌性青蛙在水中產下許多蛙卵。

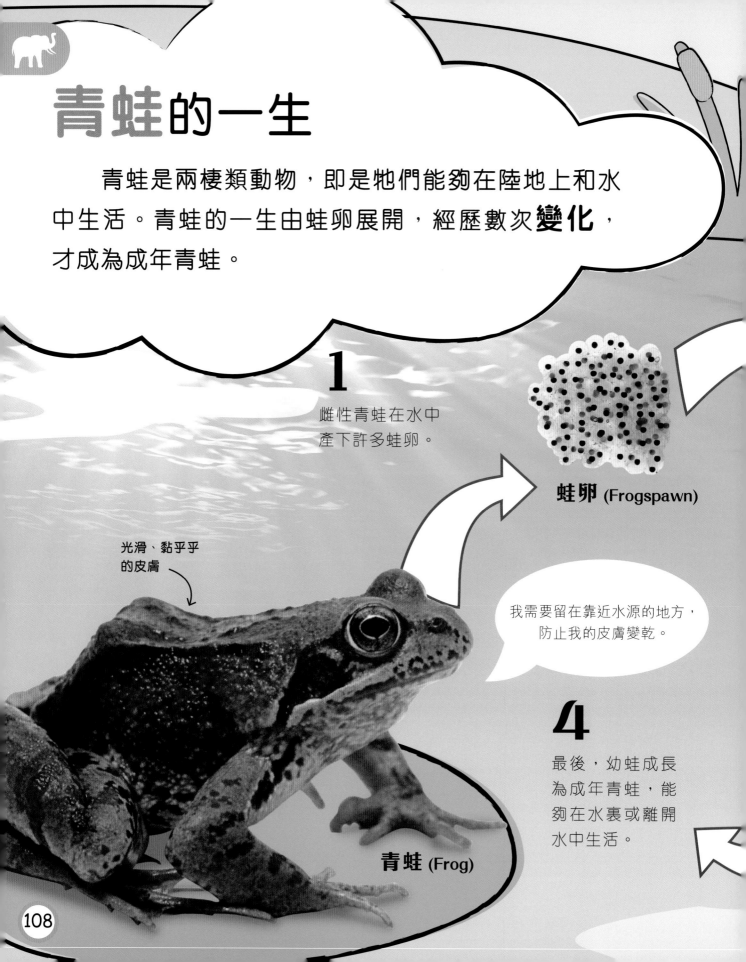

蛙卵 (Frogspawn)

光滑、黏乎乎的皮膚

我需要留在靠近水源的地方，防止我的皮膚變乾。

4

最後，幼蛙成長為成年青蛙，能夠在水裏或離開水中生活。

青蛙 (Frog)

是青蛙，還是蟾蜍？

要分辨出青蛙與蟾蜍的最好方法，就是觀察一下牠們的皮膚。青蛙擁有**光滑**、**濕潤**的皮膚，而蟾蜍則有**凹凸不平**、**乾燥**的皮膚。

我不介意皮膚乾燥，因此我能夠比青蛙更遠離水源生活。

2

蝌蚪從蛙卵中孵化出來。牠們擁有尾巴，在水中生活。

蝌蚪 (Tadpole)
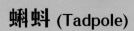

蟾蜍 (Toad)

乾燥、凹凸不平的皮膚

3

隨着時間過去，蝌蚪變成幼蛙，擁有粗短的腿和小小的尾巴。

幼蛙 (Froglet)

蟾蜍的生命周期

蟾蜍的生命周期與青蛙相似，不過牠們產卵時會將卵排成一列，而不像蛙卵那樣結集成一團。

紅眼樹蛙

這些擁有紅色大眼睛的青蛙生活在炎熱的熱帶森林中。牠們**色彩鮮豔**，卻非常擅長於隱藏。

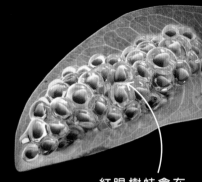

紅眼樹蛙會在樹葉上產卵。

捉迷藏

紅眼樹蛙只會在晚間活動。白天時，牠們會將手臂和腿貼近身體，並**閉上眼睛**，避免身體上繽紛的色彩暴露牠們的位置。

為了安全，我們會躲藏在樹上。

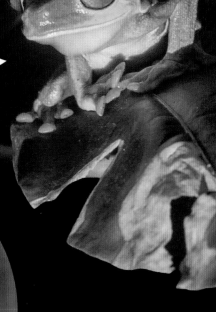

睡覺中的
紅眼樹蛙

紅眼樹蛙腳趾上有具黏力的肉墊，有助牠們抓緊樹葉和樹枝。

逃生策略

這種聰明的小生物是**瞬間逃生**的大師。當捕食者走近時，紅眼樹蛙便會迅速睜開眼睛，令敵人嚇一跳，這些時間剛好足夠牠們跳到安全的地方。

鮮豔色彩

許多青蛙都在樹上生活。牠們是世上最色彩鮮豔的動物之一。

亞馬遜葉蛙 (Fringe tree frog)

箭毒蛙 (Dyeing poison frog)

紅背箭毒蛙
(Red poison
dart frog)

看看我，我很嬌小玲瓏呢！

111

奇妙的
墨西哥鈍口螈

大部分兩棲類動物成年後與剛出生時的樣子都是毫不相同的（試想想青蛙和蝌蚪）。不過，墨西哥鈍口螈卻**不會改變**──牠們只會越長越大。

墨西哥鈍口螈寶寶

神奇的能力

許多兩棲類動物都能夠**長出新的肢體**，而墨西哥鈍口螈則更進一步，牠們能夠重新長出脊骨、各種器官，甚至腦部。

墨西哥鈍口螈不會如其他兩棲類動物般走到陸地上。牠們太享受在水中生活了。

> 大部分墨西哥鈍口螈會長到好像我這麼大。

**野生成年的
墨西哥鈍口螈**

墨西哥鈍口螈的英文名
「axolotl」意指「水中
的狗」。

奇怪的蠑螈

這種兩棲類動物**非常特別**。牠
們成長時不會有任何變化，而且
能重新長出身體部分。牠們在野
外只有一處棲息地。

柔軟、薄的
皮膚

羽毛狀的鰓，
用於呼吸

沒有眼皮

大大的嘴巴

**年輕的
墨西哥鈍口螈**

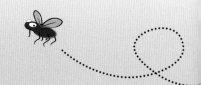

忍者螳螂

這種奇特的生物，動作有如靈巧的忍者。牠們**會猛然抓住**獵物，**迅速**得難以看見牠們的行動！

蘭花螳螂
(Orchid mantis)

活生生的陷阱

螳螂是昆蟲世界中的**致命獵人**。牠們會與周圍環境融合，在一瞬間出擊抓住獵物。

捕獵時間

螳螂會利用牠的**大眼睛**來尋找獵物，然後找一個隱藏的地點，靜待昆蟲、蜘蛛、老鼠、青蛙或蜥蝪等接近，讓牠能伏擊。

1 螳螂會完全靜止不動地站着，直至蒼蠅**靠近**，然後撲擊。

螳螂
(Praying mantis)

枯葉螳螂
(Dead leaf mantis)

螳螂非常擅長隱身。

為了找尋獵物，螳螂能夠轉動頭部和望向後方。

晚餐時間到了！

2 螳螂用牠帶刺的前肢抓緊蒼蠅，並用強壯的嘴巴把大餐吃掉。

蜂巢裏的生活

蜜蜂會一起生活，形成羣落。牠們擁有名為「**蜂巢**」的家，那是非常繁忙的地方，到處都是嗡嗡叫的蜜蜂。

雄蜂是蜂巢中唯一的雄性動物。牠們負責協助蜂后產卵，一生都不會離開蜂巢。

雄蜂

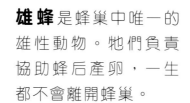

蜂巢的領袖是**蜂后**。她是唯一能產卵的蜜蜂。工蜂會為牠清潔及給牠食物。

工蜂是蜂巢裏最忙碌的成員！牠們負責興建蜂巢，還要協助保衞蜂巢免受外來者的攻擊。

蜂后是蜂羣裏體形最大的蜜蜂。

工蜂會製造及儲存**蜂蜜**。牠們會收集花蜜，然後以一種特殊的舞蹈告訴其他工蜂在哪兒可以收集到更多花蜜。

你在蜂巢外看見的蜜蜂全都是工蜂。牠們會將**花粉**由一朵花帶到另一朵花去，協助植物傳播花粉。

花蜜會放置在**蜂巢**內的小洞中，慢慢變成濃稠、黏糊糊的蜂蜜。當蜂蜜釀好後，工蜂會好好儲存——蜂蜜是蜜蜂在冬天裏的食糧。

當天氣變冷，蜜蜂會擠在一起保暖。

會走的葉子

那是不是正在移動的葉子呢？不是，牠其實是一隻鬼鬼祟祟的**葉子蟲**，利用巧妙的保護色來避免遭捕食者吃掉！

葉子蟲走路時會左右搖擺，
以模仿被風吹動的葉子。

更多葉子偽裝者

葉子蟲不是唯一長得像葉子的動物。右邊是其他在森林裏**難以被發現**的動物。

角蟾 (Asian leaf frog)

這種青蛙一生大部分時間都**在森林的地面**生活。牠們看起來就像已枯死的啡色葉子，擅長隱藏行蹤。

巧妙的保護色

葉子蟲之所以長得和**葉子**那麼**相似**，就是為了令鳥類難以發現牠們。葉子蟲會吃樹葉，所以牠們可能要小心，避免誤將同類當成葉子而大咬一口！

葉尾壁虎
(Leaf-tailed gecko)

這位變裝大師外表就像**樹皮**與**腐爛的葉子**。許多葉尾壁虎的尾巴上都有凹痕，看來就像咬痕。

擬葉螽斯
(Leaf katydid)

擬葉螽斯的**形狀**就像一片**葉子**，幫助牠們隱藏起來，避過許多可能將牠吃掉的捕食者。

黑暗中的亮光

如果你身處於一片漆黑之中，而無法找到任何光，
你會怎麼做？如果你是**螢火蟲**，便可以自行發光了！

會發光的昆蟲

螢火蟲體內有特殊的**化學物質**，當
這些化學混合時便會產生一閃即逝
的光。

世上約有2,000種螢火蟲，

厲害的發光者

雖然螢火蟲是最為人熟知的**發光**動物，
但也有其他動物能夠發光。這些動物大
部分都生活在漆黑的洞穴或海洋裏。

鐵道蟲能夠發出綠色
及紅色的光。

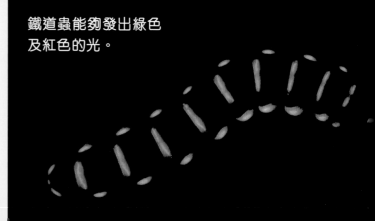

螢火蟲是什麼？

螢火蟲是一種**甲蟲**，能夠從體內發出亮光。牠們會用這種光來吸引伴侶，並嚇走捕食者。

近看時我是這樣的。

螢火蟲的光可以是綠色、黃色或橙色的。

但並非每一種都會發光。

這是引人注目的螢火魷，牠們身體不同的部分都能夠發光，組成不同的圖案。牠們能夠利用這些光與同伴溝通。

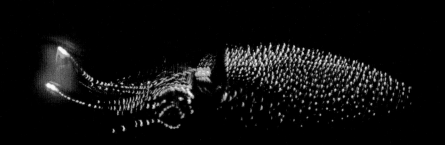

不平凡的帝王斑蝶

每年都會有一些帝王斑蝶展開奇妙的**旅程**，避開嚴寒的冬季。不過，之後回家的卻不是飛走的那些斑蝶。

活得更長久

大部分帝王斑蝶只能生存約兩個月，但冬季前出生於北美洲東岸的帝王斑蝶則可以生存達**七個月**。牠們需要活得更長久以展開過冬的旅程。

> 我們依靠太陽導航。

遷徙路線 ↗

1

天氣變冷時，帝王斑蝶便會從加拿大出發，向着南方飛到比較溫暖的墨西哥。

2

那是一段非常漫長的旅程，需時約兩個月。當帝王斑蝶抵達目的地後，便會有一段長期睡眠。

只有在北美洲東岸生活的帝王斑蝶才會展開過冬之旅。

帝王斑蝶寶寶如何返回家鄉呢？這仍然是不解之謎。

年幼的帝王斑蝶常常會回到旅程的起點——那棵相同的樹上。

3

春天時，帝王斑蝶便會醒過來，飛向北方覓食。途中牠們會產卵，然後死亡。

4

卵子孵化後，帝王斑蝶寶寶（甚至牠們的寶寶）便會接力完成回鄉的路途。

昆蟲建築師

白蟻是一種細小的昆蟲，但牠們同時是建築大師。牠們會分工合作，建造出巨大的土丘，內部還有錯綜複雜的隧道。

龐大的白蟻丘

數量眾多的白蟻會聚集在一起生活，形成**白蟻羣**。白蟻羣同住在一個土丘中。雖然白蟻很細小，但白蟻丘可以跟長頸鹿一樣高！

熱空氣會上升，並透過一個通風口而離開白蟻丘。

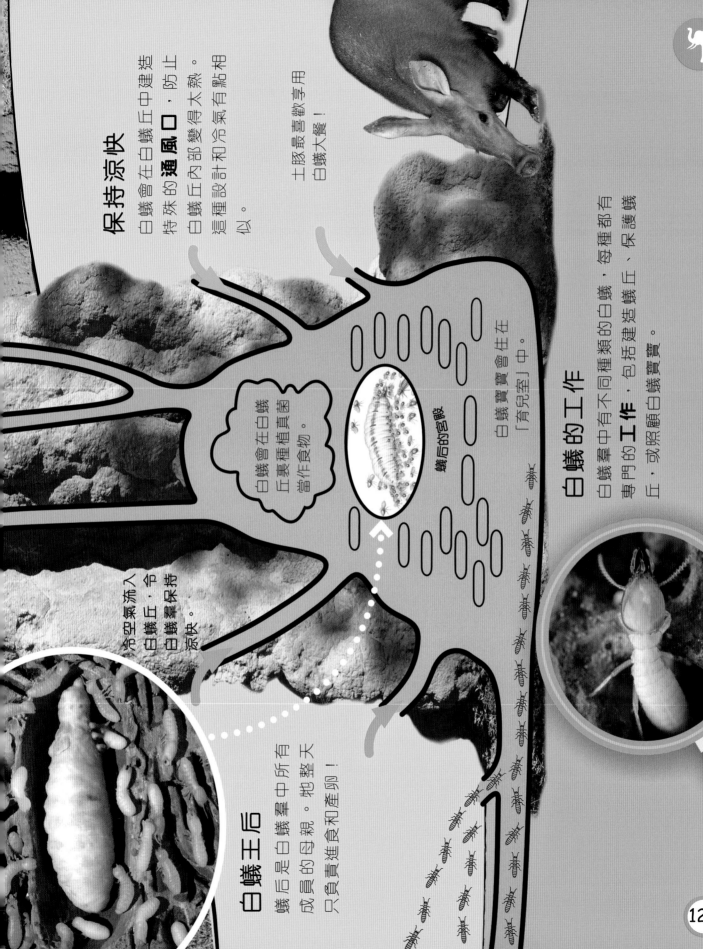

保持涼快

白蟻會在白蟻丘中建造特殊的**通風口**，防止白蟻丘內部變得太熱。這種設計和冷氣有點相似。

土豚最喜歡享用白蟻大餐！

冷空氣流入白蟻丘，令白蟻窩保持涼快。

白蟻會在白蟻丘裏種植真菌當作食物。

蟻后的宮殿

白蟻寶寶會住在「育兒室」中。

白蟻王后

蟻后是白蟻窩中所有成員的母親。牠整天只負責進食和產卵！

白蟻的工作

白蟻窩中有不同種類的白蟻，每種都有專門的**工作**，包括建造蟻丘、保護蟻丘，或照顧白蟻寶寶。

捕鳥蛛

　　捕鳥蛛是一種**大蜘蛛**，擁有毛茸茸的腳和長滿短刺的身體。與其他種類的蜘蛛不同，捕鳥蛛不會結網，而且牠們大部分都會在地面下挖洞。

捕鳥蛛致命嗎？

不會—— 捕鳥蛛只是多毛，但並不可怕！牠們的尖牙中帶有**毒液**，但一般毒性不足以致命。

尖牙

墨西哥紅膝頭蜘蛛一般非常溫馴。不過，牠一旦受到威脅，便會向施襲者彈出帶刺的毛，這些毛會刺到對方的身上或彈進眼睛裏。

體形龐大的**巨人食鳥蛛**是世上
第二大的蜘蛛。牠大多吃昆蟲，
但也能成長到巨大得可以捕食鳥
類、蝙蝠、蜥蜴和老鼠。

這隻巨蛛的腳甚至
長過這本書！

這種美麗、罕見的蜘蛛名叫**藍寶石華麗
雨林**，因為牠的顏色像孔雀，所以又被
稱為「孔雀狼蛛」。藍寶石華麗雨林棲
息於東南印度和斯里蘭卡的森林。

藍寶石華麗雨林比大部分
捕鳥蛛更兇猛。

擁有八隻腳（就像
所有蜘蛛一樣）

八爪魚警報

八爪魚(Octopus)擁有八條觸手，這種**特別的水生動物**很容易辨認，但牠們難以被人發現，因為牠們很擅長隱藏。

加勒比海礁八爪魚
(Caribbean reef octopus)

保持隱蔽

有些八爪魚善於改變身體的顏色與形狀，與海牀融為一體，以**躲藏**起來。其他的八爪魚則會潛伏在小孔、裂縫或洞穴裏。

藍圈八爪魚很細小，但牠是地球上最致命的動物之一。

藍圈八爪魚
(Blue-ringed octopus)

擬態八爪魚
(Mimic octopus)

普通八爪魚
(Common octopus)

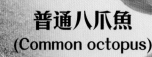

八爪魚體內沒有任何骨頭，

超級怪異

八爪魚有幾個**不尋常**之處，令牠們成為特別的動物。到底牠們有什麼不尋常呢？

牠們沒有骨頭，擁有八條觸手、藍色的血液，還有三個心臟。

聰明的生物

八爪魚非常**聰明**。科學家發現牠們能夠破解謎題，從迷宮裏逃脫。

北太平洋巨型八爪魚
(Giant Pacific octopus)

北太平洋巨型八爪魚比大部分汽車更大！

因此牠們能夠將身體擠進細小的孔洞之中。

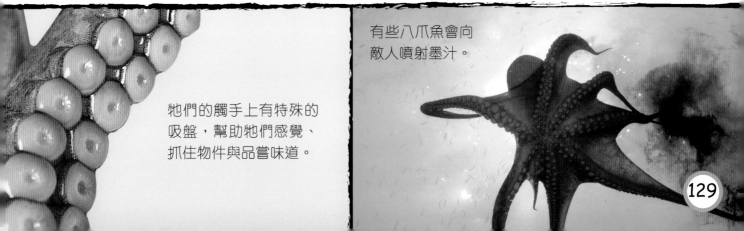

牠們的觸手上有特殊的吸盤，幫助牠們感覺、抓住物件與品嘗味道。

有些八爪魚會向敵人噴射墨汁。

硬漢螃蟹

　　這些有殼的生物外表就像海洋裏的昆蟲，不過螃蟹是**甲殼類動物**，就像龍蝦和蝦一樣。大部分螃蟹都能夠在陸地上及水中生活。

堅硬的外殼保護了柔軟的內部。

寄居蟹 (Hermit crab)

這種細小的螃蟹沒有可用來保護自己的硬殼，因此牠們會在大海中搜尋**空殼**，然後搬進去生活。這就像螃蟹搬家呢！

寄居蟹大多生活在空的海螺殼或蜆殼裏，但牠們也曾被發現寄居於其他東西中，例如塑膠蓋。

塑膠蓋

海螺殼

鉗

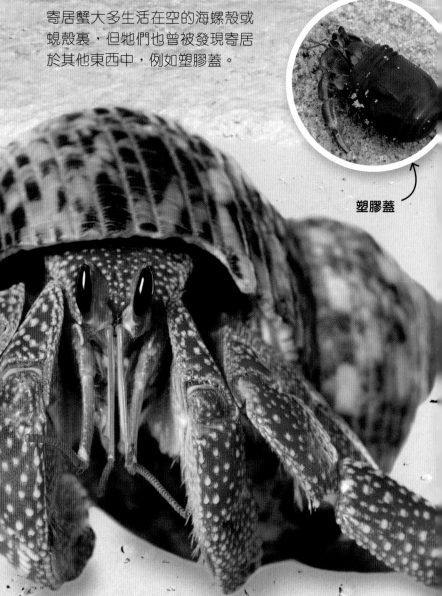

招潮蟹 (Fiddler crab)

雄性招潮蟹非常惹人注目，因為牠們**其中一隻鉗**比另一隻大得多！

← 較大的鉗

裝飾蟹 (Decorator crab)

裝飾蟹擁有一種狡詐的技能。牠們會用海草和海綿**覆蓋身體**，以躲開敵人。

← 海草

大部分螃蟹都會向左右兩邊移動，而不會向前走。

日本蜘蛛蟹 (Japanese spider crab)

這種怪異的生物是螃蟹世界中的**巨無霸**。牠們生活在日本寒冷的水域中，體形異常巨大！

> 我的腳可以長於人類的身高。

葡萄牙軍艦

　　被稱為「葡萄牙軍艦」的僧帽水母，被認為是「漂浮的恐怖生物」，牠是在海中漂浮的**刺人機器**。一定要小心牠們的觸手呀！

一隻還是許多隻？

僧帽水母看起來可能像一隻水母，但這種外表怪異的生物實質上不是一隻動物——牠是**一羣動物**，會一起生活，互相合作。

刺人的觸手

僧母水母的觸手帶有**毒液**，能夠令纏上牠們的魚類麻痺。這些觸手一般長約9米，但它們可以生長至五倍長。

聰明的策略

由於僧帽水母具有毒性，大部分生物都會遠離牠們。不過，細小的**大西洋海神海蛞蝓**會吃掉僧帽水母的觸手，並利用觸手中的毒液來保護自己。

充滿氣體

僧帽水母的**帆**就像一個充氣袋。遇上惡劣的天氣時，僧帽水母能將袋子裏的空氣完全排出，迅速消失在水中。

帆

觸手

僧帽水母無法改變移動方向，牠只能隨着水流漂浮。

僧帽水母被稱為葡萄牙軍艦，是因為牠們的帆看起來就像一種古老船艦上的帆。

動物趣談

野生動物不用上學，那麼牠們**忙着做什麼**呢？牠們大部分時間都在尋找食物、互相溝通、在不同的地方之間移動，還要避開敵人。馬上來看看牠們有趣的生活吧！

形影不離

　　有些野生動物會獨自生活，有些則會組成龐大的團體，稱為**獸羣**。牠們一起生活的原因有很多，但主要是為了安全。

大部分在獸羣中生活的動物會一起移動，

數以千計的**馴鹿**會與同伴一起在北美洲、亞洲、歐洲與格陵蘭等地遷徙。

為了安全，**斑馬**會聚集在一起。集體行動較容易提防獅子和鬣狗。

也會一起進食。

瞪羚會走遍非洲大大小小的平原尋找食物。牠們能夠與數百隻同伴組成獸羣。

大象羣會由當中最年長的雌象擔任領導者，而整個族羣都會一起照顧幼象。

非比尋常的好朋友

雖然許多動物會留在自己的同類身邊，但有時兩種非常**不同的**動物也能互相幫助。

海葵 (Sea anemone)

海葵的觸手可引起刺痛，但**小丑魚**不受影響。小丑魚能保持海葵清潔，而海葵則可保護小丑魚的安全。

小丑魚 (Clownfish)

當**蚜蟲**從植物中吸取汁液後，牠們會產生一種稱為蜜露的物質。**螞蟻**很喜歡蜜露，所以牠們會保護蚜蟲。

鮣魚是一種頭部長了吸盤的魚類，牠們會黏着**鯊魚**。鮣魚會替鯊魚清潔身體，而鯊魚會留下食物給鮣魚。

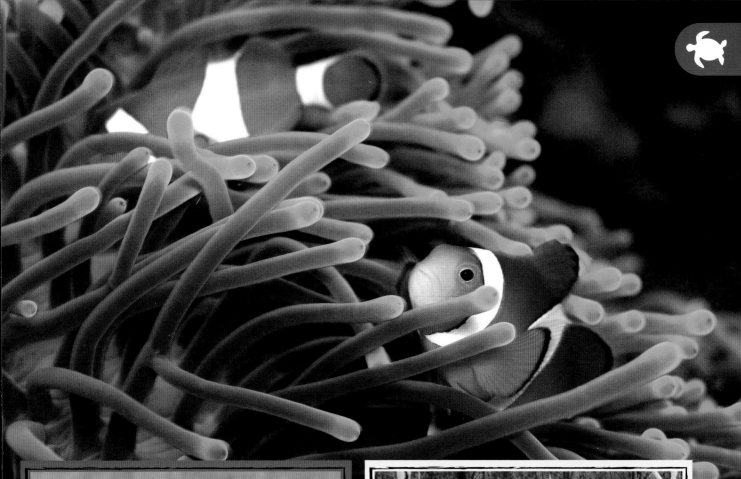

牛背鷺是一種鳥類，會停留在水牛和河馬等大型動物的背上。牛背鷺會吃掉打擾大型動物的昆蟲。

駝鳥擁有極佳的視力，而斑馬嗅覺敏銳。牠們在一起能成為出色的團隊，迅速地發現危機。

企鵝的故事

對**皇帝企鵝**來說，生存並不容易。成年的皇帝企鵝要在嚴寒的冬天裏掙扎求存，以孕育牠們的幼雛。

在秋天的皇帝企鵝繁殖季節，雌性企鵝只會產下一顆蛋。

雄性企鵝會拿着這顆蛋和加以照料。牠會將蛋放在雙腳與腹部的皺皮之間，為蛋**保暖**。

雌性企鵝在冬天會離開約兩個月去**覓食**。牠需要步行數公里才能到達海洋，並盡可能吃下最多魚。

在雌性企鵝離開期間，雄性企鵝會不吃不喝數星期。

由於天氣非常寒冷，雄性企鵝**會擠在一起**取暖。牠們會輪流走進企鵝羣的中央，那裏是最溫暖的。

當雌性企鵝回家後，牠會呼喚牠的伴侶，使一家團聚。雌性企鵝會餵養剛孵化的**幼雛**，而雄性企鵝就可以去尋找食物了。

ZZZZZZZZZZZZZ

睡覺時間

動物就像人類一樣需要**休息**。有些動物只會小睡一會兒,有些動物幾乎整天都在睡覺!

動物園裏的動物睡得比野生動物多。

樹熊進食的尤加利葉不能提供許多能量,所以樹熊需要很長時間休息。牠們每天的睡眠時間可長達18個小時!

蝙蝠會倒掛着睡覺。牠們醒來時便會落到半空中,然後展翅飛走。

ZZZZZ

蛇不能閉上眼睛,所以令人難以分辨牠們是否正在睡覺!

海豚從不會熟睡,因為牠們需要保持清醒來呼吸。當海豚睡覺時,牠一半的腦部仍會保持清醒。

ZZZZZZ

休息的鯨魚

抹香鯨一天裏會斷斷續續地小睡。牠們會**垂直身體**，在靠近水面的地方睡覺，讓自己能夠呼吸。

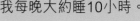

我每晚大約睡10小時。

我們幾乎不會停下來睡覺！

螞蟻是勤奮的動物，牠們在一天裏只會歇息或小睡一會兒。

犰狳一般在晚上活動。白天時，牠們會蜷縮起來，睡覺時間可達16個小時。

雖然**樹懶**看似是貪睡鬼，但在野外牠們只會睡大約10個小時——和人類的睡眠時間差不多。

長頸鹿可以數星期不睡覺！牠們一般會站着睡覺，但也會彎起脖子，將頭靠在身上休息。

豬是羣居動物。牠們睡覺時也喜歡擠在一起。

進食時間

冬眠前，動物會**進食大量食物**，讓自己獲得足以支撐數個月的能量。

睡覺時間

動物會在**地洞**、**巢穴**或**山洞**睡覺。牠們的身體會變得非常冷，心臟每分鐘只跳動數次。

看看我如何為漫長的睡眠作準備吧。

冬眠

　　有些動物會睡一整個冬天，例如刺蝟、老鼠和花栗鼠等。這是因為當天氣變得寒冷，牠們便很難找到食物。這種漫長的睡眠稱為**冬眠**。

數個月後

動物會在**春天**時醒過來，那時的天氣較溫暖，食物也較多。

春天到了！

有些鳥類不會冬眠，而是飛到較溫暖的地方過冬。

夏眠

有些住在沙漠的動物，例如青蛙、昆蟲和蝸牛，在夏天的大部分時間裏都會休眠——那時的天氣對牠們來說實在太炎熱了。

在冬天大部分時間裏，很多熊類都在睡覺，但牠們能迅速醒來，所以不算是真正的冬眠。

晚餐吃什麼？

所有生物都需要**進食**來獲得所需的能量。不過，不同的動物需要吃不同的食物。

食物的類型

許多動物只吃**植物**，而有些動物只吃**肉**。部分動物（包括人類）則兩種食物都吃。

樹熊 (Koala)

我們很挑食的。我只吃竹子，而樹熊只吃尤加利葉。

我會吃肉、蔬菜和水果。我有些朋友是不吃肉的。

熊貓 (Panda)

肉食動物	草食動物	雜食動物

有些動物會吃其他動物，牠們被稱為**肉食動物**。許多肉食動物都有鋒利的爪或牙齒，幫助牠們獵食。

只吃植物的動物被稱為**草食動物**。牠們一般有強力的頜部，用來咀嚼食物或咬開堅硬的果實。

會吃肉和植物的動物被稱為**雜食動物**。大部分人類都是雜食動物。

瓢蟲
(Ladybird)

我會吃細小的昆蟲。

金剛鸚鵡
(Macaw)

松鼠 (Squirrel)

短吻鱷 (Alligator)

毛蟲 (Caterpillar)

駝鳥
(Ostrich)

豬 (Pig)

斑馬 (Zebra)

刺蝟
(Hedgehog)

貓頭鷹
(Owl)

老虎
(Tiger)

螞蟻
(Ant)

我喜歡吃昆蟲和漿果。

大象 (Elephant)

牛 (Cow)

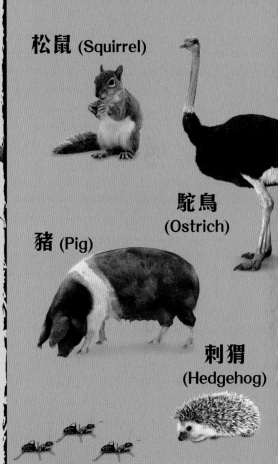

黑熊
(Black bear)

鯊魚 (Shark)

食物鏈

所有動物都需要**能量**，而能量會從牠們進食的食物而來。大部分能量都經過一個名為**食物鏈**的過程，如肉食動物的能量會從一隻動物傳送至另一隻動物體內。

食物網

動物會進食許多不同種類的食物，因此世上有許多不同的**食物鏈**。當食物鏈連結在一起，便能形成複雜的食物網。

鷹 (Hawk)

5 最後，鷹可能會將蛇吃掉。很少動物會捕獵鷹，因此鷹位於食物鏈的頂端。

4 蛇和其他捕食者會吃青蛙和其他較細小的動物。

蛇 (Snake)

青蛙 (Frog)

3 ...

青蛙會吃昆蟲，例如
草蜢和蜻蜓。

如果有動物從食物鏈中
消失，所有食物鏈中的
動物都會受影響。

1

植物從陽光獲得能量。

植物 (Plants)

草蜢 (Grasshopper)

2

草蜢會吃美味的植物。

動物大遷徙

許多動物會展開**漫長旅程**，以避開惡劣的天氣、尋找食物與繁殖後代。這些旅程稱為**遷徙**。

北極燕鷗 (Arctic tern)

起點：北極
終點：南極

為了交配，這種鳥類會從北極飛往南極——即是從**地球**的一邊飛到**另一邊**。之後牠們便會再次飛回北極！

北極燕鷗遷徙的路程比任何動物都遙遠。

聖誕島紅蟹 (Red crab)

起點：森林
終點：海洋

在澳洲附近的**聖誕島**上，每年都有數以百萬計的紅蟹從森林前往海洋產卵。

聖誕島上的道路會暫時封閉，讓紅蟹通過。

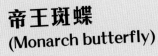

帝王斑蝶
(Monarch butterfly)

起點：加拿大
終點：墨西哥

有些帝王斑蝶會沿着北美洲的海岸向南飛，以避開**寒冷**的天氣。當牠們抵達旅程的終點便會產卵，而牠們的寶寶便會再次飛回故鄉。

座頭鯨 (Humpback whale)

起點：北極海域
終點：熱帶海域

座頭鯨每年遷徙的路程約數千公里。在夏天，牠們會游到**寒冷**的海域，因為那裏有很多食物。然後到了冬天，牠們便會游回**溫暖**的海域，繁殖下一代。

貓頭鷹棲息在一棵樹上。

哈哈！我藏起來了，請看看這兩頁中還有什麼動物躲藏起來了？

蟲斯的外表看似一塊啡色的葉子。

捉迷藏

有些動物是融入周遭環境的高手。這種特性稱為**保護色**，在捕獵或躲藏時這種技能會非常有用。

老虎身上的條紋圖案不單使人印象深刻，也幫助了老虎藏身在高高的草叢中，偷偷接近毫無防備的獵物。

竹節蟲能夠隱藏在樹枝之間。牠們長得很像嫩枝。當牠們靜止不動時，沒有任何敵人能分辨出牠們與真正的樹枝！

這是一隻外表像一片綠葉的蝴蝶。

蛇躲藏在樹葉之間。

白鼬和**北極熊**等動物生活的地方有寒冷、多雪的冬天，牠們的毛皮大多呈白色，以融入冰天雪地的環境。

葉尾壁虎的身體就像一片腐爛的葉子。牠會抓緊樹枝，與樹皮和樹葉融為一體，以免被敵人吃掉。

葉形海龍
(Leafy sea
dragon)

水中的**偽裝**

海洋是個神秘的地方。在海洋中生存並不容易，所以這些動物經過適應，能夠在**顯眼的地方隱藏**起來。

這種古怪的魚看起來就像海草！

石頭魚看起來就像珊瑚或海綿。牠們會利用保護色來捕獵——牠們會一動不動地躺着，靜待攻擊的時機。

擬態八爪魚擁有獨特的偽裝本領。牠們能夠改變形狀，變得像其他動物！

我是�头魚。我最擅長躲藏在珊瑚中。

墨魚能夠改變顏色，與周圍環境融合。牠能夠偽裝成珊瑚、岩石或沙！

凹吻鮃能夠改變身上的顏色和圖案，以配合海牀的顏色。

抵抗敵人

當捕食者接近時，動物會怎樣做呢？
這些動物**保護**自己的方式使人印象深刻。

保護**犰狳**的鱗狀甲片就像盔甲一樣。有些犰狳能夠將自己緊緊蜷縮成一個盔甲球。

雞泡魚能夠吸水使身體膨脹。這讓牠們變得又大又多刺，令捕食者難以將牠們吞下去。

草原犬鼠會輪流站崗，提防敵人。如果牠們看見敵人，便會發出響亮的聲音，警告同伴有危險迫近。

| 堅硬裝甲 | 改變體形 | 警報系統 |

不要告訴大家，我還活着呢！

箭豬的背上有許多像針一樣的尖刺。想要襲擊箭豬的動物將會迎來難纏的尖刺。

臭鼬感到受威脅時，能夠用一種液體噴向襲擊者，這種液體會發出強烈惡臭。

負鼠會令捕食者誤以為牠們已經死去。當捕食者離開後，負鼠便會回復正常！

尖刺驚喜

驚人惡臭

裝死避禍

是**毒液**還是**毒藥**？

鋒利的牙齒與爪並不是動物**置人於死地**的唯一方法。牠們可能本身已有毒，或是具有恐怖的毒液。兩者有什麼分別呢？

毒液

能分泌毒液的動物會藉着咬嚙、針刺或抓傷敵人，將致命的毒液**注射**到敵人體內。牠們這樣做是為了捕食，或保護自己免受敵人襲擊。

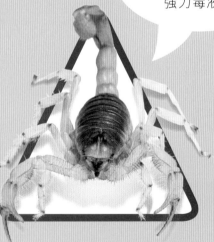

我是蠍子。我的尾巴有一根刺，附有強力毒液。

以色列金蠍擁有世上其中一種毒性最猛烈的毒液。

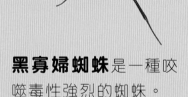

黑寡婦蜘蛛是一種咬嚙毒性強烈的蜘蛛。

眼鏡王蛇是地球上體形最龐大的毒蛇。牠會透過鋒利的尖牙向敵人注射毒液。

副王蛺蝶 (Viceroy butterfly)

假裝有毒

有些動物會假裝成有毒來欺騙捕食者。例如副王蛺蝶外表與有毒的帝王斑蝶相似，捕食者便不會襲擊牠。

帝王斑蝶
(Monarch butterfly)

毒藥

有些動物被**觸摸**或被**吞食**時才能將有毒物質傳播出去。捕食者較少進食有毒的動物。

有毒的鳥類不多，**黑頭林鵙鶲**的皮膚和羽毛覆蓋了強烈的毒素。

金色箭毒蛙只有萬字夾那麼大，但牠是世上其中一種毒性最強烈的動物！

粗皮蠑螈凹凸不平的皮膚會產生毒素。

動物不會吃我，因為牠們吃了我就會很不舒服。

一起**動起來**！

除了**跑步**、**游泳**和**飛行**外，動物還有很多有趣的移動方法。

大部分昆蟲和蜥蜴都會藉着步行或**爬行**而移動。科莫多龍是一種非常巨大的蜥蜴。

科莫多龍 (Komodo dragon)

人類是少數能夠**跳起**的動物。

蛇 (Snake)

人類 (Human)

蛇會藉着**滑行**而移動。有些蛇還能攀爬。

袋鼠 (Kangaroo)

袋鼠擁有強而有力的後腿，能幫助牠們**跳來跳去**。

飛魚 (Flying fish)

飛魚擁有如翅膀般的魚鰭，牠們能夠躍出水面，在半空中**滑翔**。

跳蚤是**跳躍**高手。牠們能夠跳至身高100倍的高度！

跳蚤 (Flea)

長臂猿 (Gibbon)

許多猿類都會用牠們長長的手臂在樹枝之間**盪來盪去**。

羱羊 (Alpine ibex)

企鵝擁有短腿和大腳，牠們在陸上會**搖搖擺擺地前進**。牠們也會**滑行**！

其中一種狐猴會跳出有趣的**舞蹈**！

狐猴 (Lemur)

企鵝 (Penguin)

羱羊是**攀爬**專家。牠能攀上陡峭的懸崖，全賴牠有特殊的蹄。

跳鼠會利用牠的後腿**跳躍**，然後用前掌着地。

壁虎的腳上有特殊的毛髮，可用於**攀爬**。

跳鼠 (Jerboa)

彈塗魚 (Mudskipper)

彈塗魚能夠離開水面，用鰭充當手臂將自己**拖行**到陸上。

壁虎 (Gecko)

使用**工具**

有些動物**學會了**如何使用工具來獲得食物、保護自己，或讓生活變得更輕鬆。

海獺會用石頭砸開螃蟹、蜆、蠔和海膽等動物的硬殼，然後把牠們吃掉。

> 我會揮動海葵，就像啦啦隊員揮動彩球！

海葵帶有毒刺，因此拳師蟹有時會用鉗來撿起海葵，用作武器。

為了將昆蟲從藏身地點引誘出來，加拉帕戈斯羣島上的**燕雀**會將仙人掌的刺插在樹木和仙人掌上。

條紋八爪魚會利用空的椰子殼和貝殼作為庇護所，讓牠們避開任何襲擊者。

我需要一條樹枝來為背部抓癢。

大象會利用樹枝來為背部抓癢。牠們也會用樹葉把在身邊亂飛的蒼蠅趕走。

大猩猩會用長樹枝插入河流或湖泊中，以測量水深，確認是否可安全通過。

野性的聲音

　　動物其中一種溝通方式就是利用聲音，牠們可以非常**嘈吵**。一起來認識部分聲線最響亮的動物，並找出牠們吵吵鬧鬧的原因吧！

吼！

獅子的吼叫聲是自然界最令人印象深刻的叫聲之一。獅子會以吼叫來嚇走其他敵對的雄性獅子。由於這種吼叫聲太響亮，在8公里外也能聽得見。

蟋蟀 (Cricket)

唧唧 唧唧

嘹嘹

吼猴的尖叫聲與馬路上駛過的電單車一樣吵耳。你可以想像一下當吼猴與朋友在一起時，牠們的聲音會是多麼嘈吵呀！

我不僅是世上體形最龐大的動物，也是其中一種最嘈吵的動物！

藍鯨會唱出口哨般的曲調，與其他鯨魚溝通。牠們的呼喚幾乎與火箭升空的聲音一樣響亮！

嗡嗡

蟬是一種會發出響亮、唧唧聲的昆蟲。一隻蟬不會太嘈吵，但當牠們與數以百萬計的同伴聚在一起，發出的聲音可說是震耳欲聾！

叭！叭！

當**大象**感到興奮、要警告同伴有危險，或變得具攻擊性時，便會發出恍如喇叭的聲響。這種聲響在9公里外也能聽見。

165

馬達加斯加

馬達加斯加是非洲海岸附近的一個島嶼，島上擁有在全球各地難得一見的**特異**野生動物而舉世知名。

鳳頭馬島鵑
(Crested coua)

番茄蛙
(Tomato frog)

白足鼬狐猴
(White-footed sportive Lemur)

馬達加斯加侏儒變色龍
(Madagascan dwarf chameleon)

變色龍

世界上約有**一半**的變色龍都生活在馬達加斯加，包括一種細小的變色龍，牠小得可放在人們的指甲上！

馬達加斯加

撒旦葉尾壁虎
(Satanic leaf-tailed gecko)

唯一的家園

有些動物只會在一個地方生活，我們稱之為「**特有動物**」。在馬達加斯加，每四種動物便有三種是不會在地球上其他地方找到的。

大狐猴 (Indri)

環尾狐猴
(Ring-tailed lemur)

大量狐猴

狐猴是一種**靈長類動物**，只棲息在馬達加斯加。無人確切知道狐猴是怎樣抵達當地，不過牠們已在島上生活了數千年。

長頸象鼻蟲
(Giraffe weevil)

小故事：達爾文的重大旅程

很久以前，一個名叫查理斯·達爾文（Charles Darwin）的年輕人展開了一段航海旅程。一路上他經歷了史上其中一趟最重要的動物**發現之旅**。

達爾文的旅程從英格蘭開始。他乘坐英國皇家海軍船艦「**小獵犬號**」啟程。在超過五年航海之旅中，他前往了不同的地方。

當小獵犬號靠岸時，達爾文會到處蒐集化石和**研究自然生態**。他發現了許多不同種類的植物和動物。

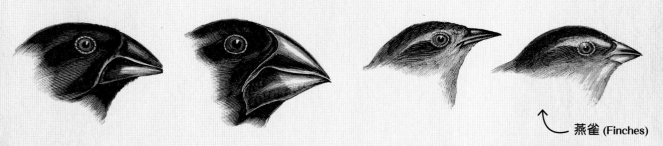

燕雀 (Finches)

達爾文最重要的發現，來自到訪**加拉帕戈斯羣島**的旅程。加拉帕戈斯羣島位於南美洲附近。達爾文發現在每一個島嶼上生活的動物，例如燕雀及小嘲鶇等都有些微的**差異**。

達爾文察覺到燕雀經過了數百萬年的**變化**，會**適應**不同島嶼上的棲息地。

不，不，不！
達爾文錯了！

達爾文記述了他的發現，不過經過了很多年人們還是不相信他的話。時至今日，達爾文的發現被視為非常重要的科學理論。

在繭裏的蠶蟲。

動物好幫手

動物能夠做很多事情來幫助我們，例如為我們製作食物和衣服的材料。即使是牠們的糞便也可能**很有用**呢！

蠶蟲會產生**絲**，可以織成布料，用來造衣服和風箏。

蜜蜂會從一朵花飛到另一朵花去採集稱為花蜜的液體。牠們會將這種液體變成**蜂蜜**。蜜蜂也會傳播花粉，有助植物繁殖。

蜂蜜

鳥類會生**蛋**，其中雞蛋最受人類歡迎，不過人類也會吃鴨蛋、巨大的駝鳥蛋和細小的鵪鶉蛋。

雞大約每天生一隻蛋。

在炎熱的天氣裏，綿羊、山羊及羊駝的絨毛都會被剃下來製成**羊毛線**，我們會用羊毛線來造衣服。

許多動物都會生產**奶**，其中牛奶最常見，但許多人類也會喝由山羊、水牛、駱駝和馬生產的奶。

奶也可用來製造芝士。

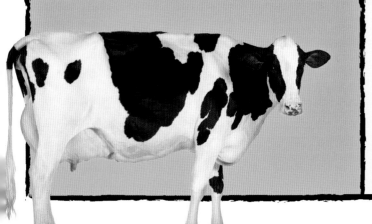

動物的糞便可用作**堆肥**，它們也許很臭，但非常有用。將堆肥與泥土混合，可以令泥土變得肥沃，幫助植物生長得更茂盛。

動物與我

有些**工作**是動物非常擅長的，而且對我們幫助很大。幸好當我們有需要的時候，這些動物朋友能在身邊幫助我們。

有些動物擁有自己的職位，例如警用馬匹，牠們就像人類一樣！

導盲犬受訓後可協助視障人士。牠們能幫助人們過馬路，找出人們想去的地方，並帶領人們乘搭巴士和鐵路。

信鴿能夠自行找到回家的路徑——即使牠們身在遠方。人們會在信鴿的腳上綁上紙條，讓牠們飛出去傳送信息。

我要去送信了！

駱駝擅長載着沉重的
貨物穿越沙漠。

人類發明汽車之前，會依靠動物的力量運
輸。**馬**、**駱駝**和**驢**都比人類走得快，而
且強壯得多，能夠拉動或攜帶重物。

牧羊犬受訓後可管理羊羣，告訴羊羣
要走到哪裏。牧羊犬會在羊羣身邊奔
跑，但絕對不會傷害羊羣。這種技巧稱
為放牧。

更多非凡的動物

接下來我們會為你介紹更多**非凡的動物**。快來翻開書頁，了解動物發出的各種聲音，認識擁有斑點和條紋的動物，還有到訪動物生活的地方。

斑點滿滿

無論是在海洋、天空，還是在陸地生活的動物，牠們身上都可能有**斑點**。有些動物會利用斑點隱藏自己，有些動物則會用斑點作為警示。

金星尺蛾
(Magpie moth)

有斑點的貓

獵豹是地球上速度最快的陸地動物。牠們的斑點能幫助牠們捕獵時在草叢中隱身。

有斑點的兩棲類動物

鐘角蛙
(Ornate horned frog)

箭毒蛙
(Poison dart frog)

大斑啄木鳥的翅膀上有斑點，當牠們飛翔時便能看見。

有斑點的鳥

有斑點的魚

雞泡魚
(Pufferfish)

斑胡椒鯛
(Harlequin sweetlips fish)

藍斑條尾魟
(Blue-spotted stingray)

老鼠斑
(Panther grouper)

斑點鈍口螈
(Spotted salamander)

有斑點的爬蟲類動物

有斑點的昆蟲

瓢蟲
(Ladybird)

有斑點的狗

斑點狗出生時全身都是白色的——牠們的斑點只會在成長期間陸續出現。有些斑點狗連嘴巴裏也長了斑點！

渾身條紋

斑點不是動物身上唯一的一種圖案——很多動物從頭到腳都布滿了**條紋**。

嗡嗡嗡

有條紋的哺乳類動物

斑馬 (Zebra)

每隻**斑馬**都有獨一無二的條紋圖案，因此沒有任何斑馬會與同伴完全相同。當牠們被捕食者追趕時，身上的條紋便可令捕食者眼花繚亂。

有條紋的兩棲類動物

蚓螈 (Caecilian)

火蠑螈 (Fire salamander)

花栗鼠 (Chipmunk)

南美貘寶寶
(Brazilian tapir baby)

南美貘寶寶出生時全身都有斑點和條紋，可幫助牠們躲藏起來。

有條紋的無脊椎動物

條紋千足蟲
(Striped millipede)

線條紅椿象
(Minstrel bug)

施陶丁格氏長尾蛾
(Staudinger's longtail moth)

有條紋的魚

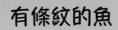

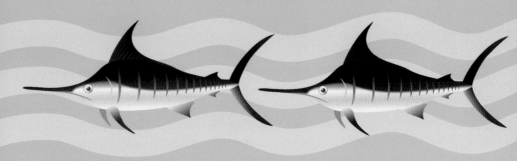

條紋四鰭旗魚有銀色與藍色的身體，還有紫色的條紋。

有條紋的爬蟲類動物

麗紋石龍子
(Striped skink)

變色龍
(Chameleon)

牛奶蛇
(Milk snake)

美洲鬣蜥
(Green iguana)

不同種類的**鬣蜥**有不同的顏色，但牠們大多擁有有條紋的尾巴。這些蜥蜴生活在樹上，主要吃植物。

瘋狂的色彩

動物王國充滿了**繽紛**的色彩。有些動物特別色彩鮮豔是因為希望受到注目，不過有些動物則會用顏色作為警示。

紅毛猩猩
(Orangutan)

海星 (Starfish)

豹變色龍
(Panther chameleon)

扁頭泥蜂
(Jewel wasp)

巨人蜈蚣
(Giant centipede)

皇蛾
(Giant atlas moth)

虹彩吸蜜鸚鵡
(Rainbow lorikeet)

藍腳鰹鳥
(Blue-footed booby)

蟹蛛
(Crab spider)

紅腹錦雞
(Golden pheasant)

金剛鸚鵡
(Macaw)

孔雀蛺蝶
(Peacock butterfly)

山魈 (Mandrill)

環頸蛇
(Ring-necked snake)

壁虎 (Gecko)

盤麗魚
(Discus fish)

我能非常有力地揮拳。
我鮮豔的顏色能警告敵人遠
離我。

箭毒蛙
(Poison dart frog)

角蟬 (Thorn bug)

寶石象鼻蟲
(Jewel weevil)

螳螂蝦
(Mantis shrimp)

大藍閃蝶
(Blue morpho butterfly)

紅鸛 (Flamingo)

孔雀
(Peacock)

小丑魚 (Clownfish)

大嘴鳥
(Toucan)

地下生活

這些穴居動物都生活在地洞裏，會向地下**挖掘**。牠們能夠挖出用來藏身的小洞，或是可用於居住的巨大隧道。

土撥鼠 (Groundhog)

捕鳥蛛 (Tarantula)

跳鼠會在沙漠裏挖出細小的地洞。

跳鼠 (Jerboa)

兔子 (Rabbit)

袋熊 (Wombat)

獾 (Badger)

出色的建築師

　　有些別具天分的動物能夠建造自己的安樂窩。無論是建立一個安全的巢穴，還是溫暖的冬季藏身處，這些動物都是**超級建築師**。

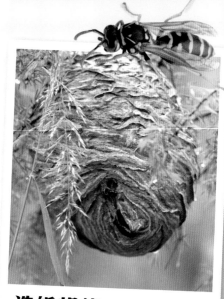
造紙胡蜂 (Paper wasp)

我們河狸會用樹枝、泥土和石頭，合力建造堤壩和家園。

河狸 (Beaver)

織布鳥 (Weaver bird)

編織蟻 (Weaver ant)

我是雄性園丁鳥。我會建造一種特別的巢來吸引雌性。

園丁鳥 (Bowerbird)

我會躲在網中，靜候美味的獵物自投羅網。

漏斗網蜘蛛 (Funnel web spider)

巢鼠 (Harvest mouse)

橙頂灶鶯 (Ovenbird)

潛水高手

這些動物有什麼共通之處呢？
牠們都會花很長時間**潛入大海**，
不過牠們都無法在水中呼吸。

海角塘鵝
(Cape gannet)

海角塘鵝能夠以高速潛入水中，然後用翅膀在水裏「游泳」。

寬吻海豚
(Bottlenose dolphin)

海鬣蜥
(Marine iguana)

南美毛皮海獅
(South American fur seal)

我潛到海洋的深度，幾乎比世界上所有哺乳類動物都要深。

抹香鯨
(Sperm whale)

當我潛入水中時，我可以在水中閉氣近一個小時。

皇帝企鵝
(Emperor penguin)

褐鵜鶘
(Brown pelican)

威德爾海豹
(Weddell seal)

革龜
(Leatherback turtle)

黃唇青斑海蛇
(Yellow-lipped sea krait)

北極熊
(Polar bear)

領航鯨
(Pilot whale)

超級飛行家

一整天拍動翅膀真是非常辛苦呢！因此，有些鳥類會展開雙翼滑翔**高飛**，讓溫暖的氣流協助牠們完成這項辛苦的工作。

短尾鵟
(Short-tailed hawk)

信天翁
(Albatross)

我屬於鷗科鳥類，我們是海鳥，也是滑翔專家。

三趾鷗
(Kittiwake)

草原鵰
(Tawny eagle)

輕輕一托

會滑翔的鳥類依靠暖空氣來停留在空中，而不是拍動雙翼。牠們會展開翅膀，讓上升的暖空氣承托起自己。

安第斯神鷹 (Andean condor)

白眉燕鷗 (Bridled tern)

鸛 (Stork)

長喙兀鷲 (Indian vulture)

渡鴉 (Raven)

比起大部分小型鳥類，渡鴉比較少拍翼，並較常滑翔。

天生的**速度**

　　儘管世上最快的動物都是藉着飛行而移動，但這些敏捷的**跑手**也能飛快地在陸上移動。

野兔 (Hare)

獅子 (Lion)

我是地球上最快的跑手，只有少數雀鳥的飛行速度能超越我的跑速。

獵豹 (Cheetah)

馬 (Horse)

牛羚和叉角羚都需要行動迅速，以逃避捕食者。

牛羚 (Wildebeest)

蟑螂 (Cockroach)

蟑螂和虎甲蟲體形細小，但牠們跑得非常快。

叉角羚 (Pronghorn)

虎甲蟲 (Tiger beetle)

駝鳥 (Ostrich)

攀爬專家

無論是攀上**岩石**、**樹木**，還是**峭壁**，這些富有冒險精神的動物都無懼高度！

貓 (Cat)

我是努比亞山羊。我可以輕鬆地在陡峭的懸崖上保持平衡。

樹懶 (Sloth)

蛇 (Snake)

蝸牛 (Snail)

螃蟹 (Crab)

壁虎幾乎能攀附在
任何物體的表面。

壁虎 (Gecko)

松鼠 (Squirrel)

紅毛猩猩 (Orangutan)

山區動物

有些動物喜歡在**高地生活**。牠們居住在山區的森林中，或是布滿岩石、被冰雪覆蓋的山崖上。

雪豹的毛髮顏色能與牠居住的高山岩地融為一體。

小熊貓
(Red panda)

雪豹
(Snow leopard)

羱羊
(Alpine ibex)

啄羊鸚鵡
(Kea)

灰狼
(Grey wolf)

胡兀鷲
(Bearded vulture)

地中海隼
(Lanner falcon)

我生活在南美洲的山區中。我身上豐厚的毛髮可以讓我保持溫暖。

郊狼
(Coyote)

羊駝
(Llama)

巴巴利獼猴
(Barbary macaque)

美洲金貓又稱「山獅」，包括美洲獅和細腰貓。

美洲金貓
(Puma)

氂牛
(Yak)

沙漠居民

沙漠是只有**少量水源**的地方。那裏難以存活，但這些動物仍以沙漠為家。

走鵑
(Roadrunner)

劍羚
(Oryx)

亞洲胡狼
(Golden jackal)

非洲刺毛鼠
(Spiny mouse)

沙漠裏的食物不多，因此我能夠在數個月內完全不進食。

蠍子
(Scorpion)

闊趾虎
(Web-footed gecko)

我能夠一口氣喝下大量的水，之後數個月內不喝水也可以生存。

駱駝
(Camel)

米色的時裝

許多在沙漠生活的動物都擁有淺色的毛皮、羽毛或鱗皮。這有助**反射陽光**，讓牠們保持涼快。

狐獴
(Meerkat)

沙雞
(Sandgrouse)

陸龜
(Tortoise)

大部分沙漠動物在一天裏最炎熱的時間都會留在陰暗處乘涼。

游蛇
(Diadem snake)

熱帶之旅

熱帶地區炎熱、潮濕，充滿了生命！

熱帶雨林是地球上近半數生物的家園。

大藍閃蝶
(Blue morpho
butterfly)

雙角犀鳥
(Great
hornbill)

吼吼吼吼！

大嘴鳥
(Toucan)

綠樹蟒
(Green tree
python)

吼猴
(Howler
monkey)

長尾小鸚鵡
(Parakeet)

捲尾猴
(Capuchin
monkey)

樹懶
(Sloth)

熱帶雨林裏的樹木
頂層稱為**露生層**。

緋紅金剛鸚鵡
(Scarlet macaw)

樹冠層位於樹木
高處，那裏有許
多樹枝。

紅眼樹蛙
(Red-eyed tree frog)

食蟻獸
(Anteater)

美洲豹
(Jaguar)

貘
(Tapir)

熱帶雨林可分成四層。

灌木層會正在生長的樹木和灌木遮蔽。

切葉蟻
(Leafcutter ant)

黑猩猩
(Chimpanzee)

地面層是不會爬樹的動物所居住的地方。

水豚
(Capybara)

野外的樹林

如果你今天走進**樹林**中，也許會遇上以下其中一種動物。小心觀察一下你可能會在森林裏看到的動物吧。

交嘴雀
(Crossbill)

花栗鼠 (Chipmunk)

狐狸 (Fox)

針鼴 (Echidna)

我是麂，屬於鹿家族中的一個小成員。

鍬形蟲 (Stag beetle)

鹿 (Deer)

我是黑熊。我會爬樹來尋找食物或是找個地方睡覺。

啄木鳥 (Woodpecker)

熊 (Bear)

兔子 (Rabbit)

獾 (Badger)

松鼠 (Squirrel)

貓頭鷹 (Owl)

浣熊和狐狸喜歡住在森林裏，但你也可能在城市中發現我們的蹤跡。

浣熊 (Raccoon)

螞蟻 (Ant)

201

珊瑚礁

珊瑚礁就像海洋中的**雨林**。珊瑚礁只是海洋的一小部分，但住在珊瑚礁的海洋生物比海洋裏其他地方都要多。

海龜 (Sea turtle)

扁尾海蛇 (Sea krait)

我會進食在珊瑚上生長的海藻，然後排出像白色沙那樣的糞便！

海綿 (Sea sponge)

鸚哥魚 (Parrotfish)

張口的海葵

小丑魚 (Clownfish)

閉口的海葵

草莓海葵 (Strawberry anemone)

大硨磲 (Giant clam)

烏翅真鯊
(Blacktip reef shark)

魷魚 (Cuttlefish)

雪花鴨嘴燕魟
(Spotted eagle ray)

主刺蓋魚
(Emperor angelfish)

雄性海馬會負責照顧幼兒，但雌性海馬不會參與。

管海馬
(Spotted seahorse)

什麼是珊瑚？

珊瑚看起來就像岩石，但它實質上是由許多名叫**珊瑚蟲**的細小動物組成。珊瑚蟲擁有堅硬的骨骼，可用來保護自己。

我喜歡躲藏在珊瑚之間的岩洞裏。

珊瑚 (Coral)

鯙
(Moray eel)

極地生物

雖然**極地**對大部分動物而言都過於**寒冷**，但仍有許多動物在那裏生活。牠們有些住在北極周邊，有些住在南極周邊。

旅鼠
(Lemming)

北極狐
(Arctic fox)

雪鴞
(Snowy owl)

北極附近地區
(北極圈)

在夏天時，我的毛髮會由白色變成啡色。

北極兔
(Arctic hare)

雪雁
(Snow goose)

北極熊
(Polar bear)

環海豹
(Ribbon seal)

海象 (Walrus)

北極燕鷗
(Arctic tern)

我會從北極飛到南極，再飛回北極！

漂泊信天翁
(Wandering albatross)

灰賊鷗
(Antarctic skua)

巴布亞企鵝
(Gentoo penguin)

我們很細小，但非常重要！許多極地動物都依賴我們作為食物。

鱗蝦
(Krill)

南極附近地區
（南極圈）

南極海狗
(Southern fur seal)

豹海豹 (Leopard seal)

在農場裏

許多農場會用於**種植農作物**，例如小麥、粟米和稻米。不過，你也會在農場裏面或附近找到很多你喜歡的動物。

兔子 (Rabbit)

我的寶寶又可稱為羔羊。

山羊
(Goat)

果下馬
(Pony)

豬 (Pig)

母雞和小雞
(Chicken and
chick)

野性之旅

非洲的**草原**充滿了奇妙的動物。
你永遠不會知道在長長的草叢後面會有
哪些野生動物正虎視眈眈。

鸛 (Stork)

豹 (Leopard)

水牛 (Buffalo)

犀牛 (Rhinoceros)

我是一隻雄性獅子。我擁有豐厚濃密的鬃毛。

獅子 (Lion)

非洲象
(African elephant)

禿鷲 (Vulture)

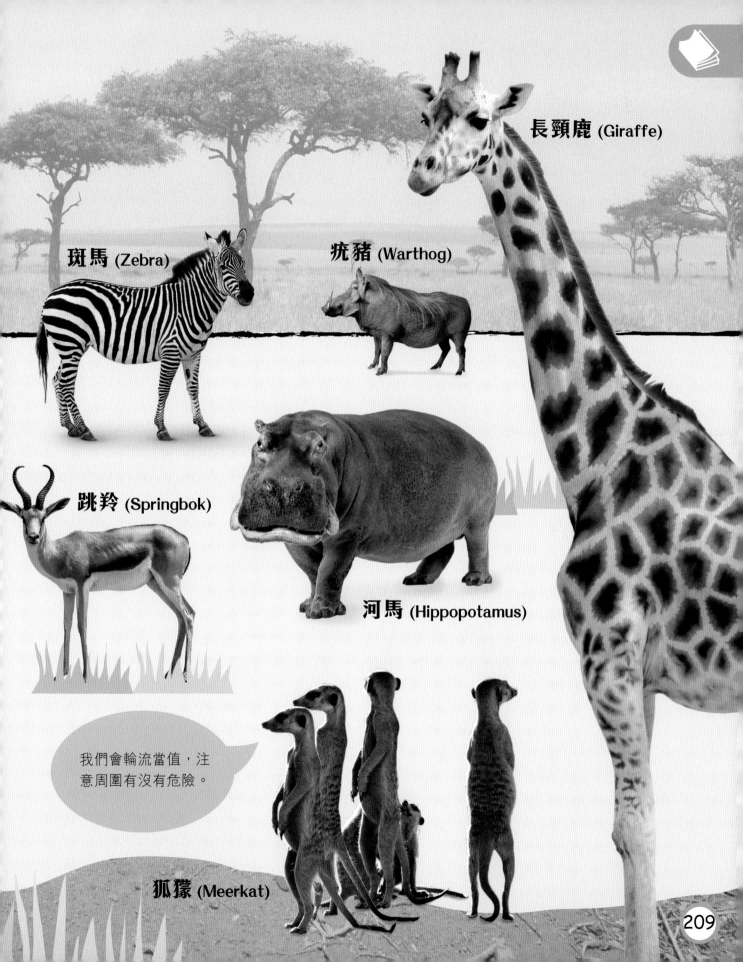

長頸鹿 (Giraffe)

斑馬 (Zebra)

疣豬 (Warthog)

跳羚 (Springbok)

河馬 (Hippopotamus)

我們會輪流當值,注意周圍有沒有危險。

狐獴 (Meerkat)

令人着迷的**恐龍**

　　雖然牠們生存的時間不長，但地球上曾經有許多**不同種類的恐龍**。你能說出牠們的名字嗎？

我們存活了大約數百萬年，因此不是所有恐龍都生活在同一段時間裏。

新發現

我們對恐龍的所有知識都來自牠們的**殘骸化石**。科學家不斷研究化石，讓我們能夠進一步了解這些生物。

中華龍鳥
(Sinosauropteryx)

暴龍
(Tyrannosaurus)

禽龍
(Iguanodon)

似鴕龍
(Struthiomimus)

蜥結龍
(Sauropelta)

長頸巨龍
(Giraffatitan)

畸齒龍
(Heterodontosaurus)

阿根廷龍
(Argentinosaurus)

棘龍
(Spinosaurus)

副櫛龍
(Parasaurolophus)

211

完美**寵物**

　　有些動物生活在野外，有些動物則可以作為我們友善的**同伴**，住在我們的家中。以下就是一些深受歡迎的寵物。

貓 (Cat)

飼養寵物

所有寵物都需要被好好**照顧**與呵護。寵物主人要了解寵物的需要，這是很重要的。

我們需要大量運動，喜愛每天散步。

狗 (Dog)

蜥蜴 (Lizard)

倉鼠 (Hamster)

山羊 (Goat)

我們喜歡一起生活。獨處的兔子會感到寂寞。

兔子 (Rabbit)

天竺鼠 (Guinea pig)

魚 (Fish)

鳥 (Bird)

蛇 (Snake)

當室外變得寒冷時，我需要用特殊的射燈來保持温暖。

龜 (Tortoise)

雪貂 (Ferret)

動物的聲音

動物無法像人類一般說話，但牠們能夠互相**溝通**，其中一種方法就是發出聲音。你認識多少種動物的聲音？

蝙蝠 (Bat)
吱吱

蛇 (Snake)
嘶嘶

熊 (Bear)
吼吼

海象 (Walrus)
胡胡

吼猴 (Howler monkey)
嗥嗥

貓 (Cat)
喵喵

鵝 (Goose)
嘎嘎

其他溝通方法

聲音不是動物溝通的唯一渠道。有些動物會藉着**改變顏色**、**舞蹈**或**遊戲**傳達信息。

變色龍會透過改變顏色來互相溝通。

喜鵲 (Magpie)
啾啾

大象 (Elephant)
叭叭

獅子 (Lion)
吼吼

狗 (Dog)
汪汪

名字的意義

許多動物喜歡一起活動。**成羣**的動物或許有特別的名字。

大猩猩羣
（Band of gorillas）

河馬羣
（Bloat of hippos）

紅鸛羣
（Flamboyance of flamingos）

狼羣
（Pack of wolves）

鵝羣
（Gaggle of geese）

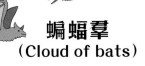

蝙蝠羣
(Cloud of bats)

斑馬羣
（Dazzle of zebras）

獅羣
（Pride of lions）

貓頭鷹羣
(Parliament of owls)

箭豬羣
（Prickle of porcupines）

長頸鹿羣
（Tower of giraffes）

貓羣
（Clowder
of cats）

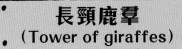

魚羣
(School of
fish)

烏鴉羣
（Murder of crows）

北極熊羣
（Aurora of polar bears）

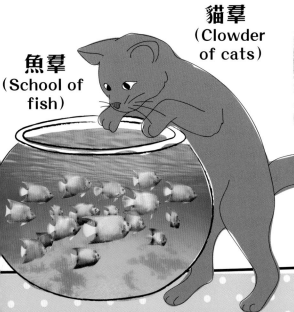

動物詞彙

這本書中出現了許多重要的動物詞彙。如果你被這些詞彙難倒,便可在這裏找到它們的意思。

壁虎

壁虎是爬蟲類動物。

水生生物:指一生大部分或全部時間都在水中生活的動物和在水中生長的植物。

兩棲類動物:一種冷血動物,能夠在水中或陸上生活。

鳥類:一種溫血動物,從蛋中孵化出生,擁有羽毛和一個喙部。

魚類:一種大多屬冷血的水生動物,生活在水中,許多魚類都帶有鱗片。

哺乳類動物:一種溫血動物,擁有毛髮,嬰兒期會喝母親的奶。

靈長類動物:一種哺乳類動物,包括猴子、猿、狐猴和人類。

爬蟲類動物:一種冷血動物,從蛋裏孵化出生,擁有鱗片。

無脊椎動物:沒有脊柱的動物。

脊椎動物:擁有脊柱的動物。

肉食動物:只吃肉的動物。

草食動物:只吃植物的動物。

雜食動物:會吃肉和植物的動物。

夜行動物:指在晚間活動的動物。

冷血:指動物無法在體內調節體溫。

溫血:指動物能夠控制體溫。

小熊貓

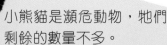

小熊貓是瀕危動物,牠們剩餘的數量不多。

骨頭：一種堅硬的物體，是組成大部分脊椎動物的內骨骼。

內骨骼：即體內的骨骼。

外骨骼：即體外的骨骼。

保護色：動物身體上的顏色或圖案，能幫助動物隱藏起來。

回聲定位：動物利用反射的聲音（回聲）判斷東西位置的一種特殊方式。

毒藥：有害的物質，接觸或進食後可能會致命。

毒液：有害的物質，能藉由咬嚙或針刺注入動物體內。

羣落：指一起生活的同一品種動物。

紅毛猩猩寶寶

物種：指一些相似的動物，擁有相同的特徵，能夠一起繁衍後代。

瀕危：指動物面對絕種的威脅。

滅絕：指動物所屬的品種已沒有任何成員存活。

化石：過去動植物存活的證據，以化石的方式被保留在地球上。

棲息地：動物的自然居住環境。

遷徙：動物的季節性活動，會從一個地方前往另一個地方，最後返回原地。

冬眠：指動物在冬天沉睡，其體溫及心跳率會降至低水平。

紅毛猩猩是靈長類動物。

捕食者：會捕捉其他動物作為食物的動物。

獵物：被捕食者捕捉作為食物的動物。

鱗片：主要為堅硬的薄片，在昆蟲、魚類、爬蟲類動物、鳥類和其中一種哺乳類動物（犰狳）身上可見到。

禿鷲

禿鷲以腐肉為主要食物，牠們會經常在空中盤旋，搜尋獵物。

寄居蟹

螃蟹擁有外骨骼。

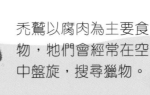

索引

鳴謝

The publisher would like to thank the following for their kind permission to reproduce their photographs:

Key: a= above; b=below/bottom; c=centre; f=far; l=left; r=right; t=top.

1 Dorling Kindersley: Jerry Young (cla, crb). **Dreamstime.com:** Jan Martin Will / Freezingpictures (bc). **2 Fotolia:** Star Jumper (r). **3 123RF.com:** smileus (br). **Dorling Kindersley:** Natural History Museum, London (cra). **Photolibrary:** Digital Vision / Martin Harvey (cb). **4 Dorling Kindersley. 5 123RF.com:** Bonzami Emmanuelle / cynoclub (bc). **6 Alamy Stock Photo:** Martin Harvey (crb). **7 123RF.com:** Teri Virbickis (bc). **8 Dorling Kindersley:** Natural History Museum, London (cr). **9 Dorling Kindersley. Fotolia:** uwimages (bc). **10-11 Fotolia:** Dmytro Poliakh / sellingpix (b). **10 123RF.com:** alexiakhruscheva (cla); Eric Isselee (cra/Eurasian red squirrel); Aaron Amat (clb); NejroN (cr); Francisco de Casa Gonzalez (fcrb); Eric Isselee (br). **Dorling Kindersley:** Blackpool Zoo (clb); Jerry Young (fcra); Jerry Young (cra). **11 123RF.com:** Svetlana Foote (c); Eric Isselee / isselee (cla). **Fotolia:** Malbert (b). **12 Dorling Kindersley:** Twan Leenders (bc); Jerry Young (br). **13 Dorling Kindersley:** Stephen Hayward (c); Natural History Museum, London (clb). **Dreamstime.com:** Eric Isselee (bc). **15 123RF.com:** Volodymyr Krasyuk (cra); Teri Virbickis (br). **16 Alamy Stock Photo:** Martin Strmiska (bl). **Dorling Kindersley:** Jerry Young (cra). **17 123RF.com:** Song Qiuju (clb). **Dorling Kindersley:** Natural History Museum, London (bc/urchin); Linda Pitkin (bc); Jerry Young (c). **Fotolia:** uwimages (cra). **18-19 Fotolia:** Dmytro Poliakh / sellingpix (sky). **19 Dorling Kindersley:** Andrew Beckett (Illustration Ltd.) (ca); Andrew Beckett (Illustration Ltd.) (b). **21 Dorling Kindersley:** Senckenberg Nature Museum, Frankfurt (cl). **22 Dorling Kindersley:** E. J. Peiker (br). **22-23 Fotolia:** Dmytro Poliakh / sellingpix (grass). **23 123RF.com:** digitaldictator (crb). **Dorling Kindersley:** Alan Murphy (c); Judd Patterson (ca). **24-25 Fotolia:** rolffimages. **24 123RF.com:** Richard Whitcombe / whitcomberd (cl). **25 123RF.com:** Corey A. Ford (bc). **Dorling Kindersley:** Terry Goss (cr). **26-27 Fotolia:** Malbert (Water). **26 Dorling Kindersley:** Igor Siwanowicz (ca); Jerry Young (cr). **naturepl.com:** John Cancalosi (bc); Bence Mate (tr). **27 123RF.com:** smileus (c). **naturepl.com:** MYN / JP Lawrence (crb). **29 123RF.com:** Pedro Campos (cla). **Dreamstime.com:** Kamnuan Suthongsa (cb). **30 123RF.com:** Aliaksei Hintau / viselchak (tr). **31 123RF.com:** marigranula (c); Sergio Martínez (crb). **Dorling Kindersley:** Jerry Young (cra). **32 123RF.com:** Eduardo Rivero / edurivero (c). **34 iStockphoto.com:** johnandersonphoto (cr). **35 iStockphoto.com:** goinyk (cr). **36 Science Photo Library:** Arie Van 'T Riet (r); Science Picture Co (cl). **37 Alamy Stock Photo:** Travis Rowan (crb); Feng Yu (tl). **39 123RF.com:** blueringmedia (ca). **Dorling Kindersley:** Jerry Young (bc). **41 Dorling Kindersley:** Jerry Young (cr). **Fotolia:** Eric Isselee (ca). **43 Dorling Kindersley:** Natural History Museum (ca); Natural History Museum, London (clb); E. J. Peiker (cra/Great Blue Heron). **44 Alamy Stock Photo:** Bilwissedition Ltd. & Co. KG (bl); Wildlife GmbH (cl). **iStockphoto.com:** Keith Bishop (tl). **45 Alamy Stock Photo:** North Wind Picture Archives (cla). **iStockphoto.com:** Vasja Koman (br). **46 123RF.com:** Sommai Larkji / sommai (br); sergeyp (b); Katya Ulitina (cra). **Dorling Kindersley:** Royal British Columbia Museum, Victoria, Canada (cl). **47 123RF.com:** artman1 (br); Michael Rosskothen (tc); Mark Turner (c); ramoncarretero (crr). **Dorling Kindersley:** Natural History Museum, London (cb). **naturepl.com:** Jurgen Freund (tr).

48 Dorling Kindersley: Royal Tyrrell Museum of Palaeontology, Alberta, Canada (br). **48-49 123RF.com:** Andrey Armyagov (cb). **50 Dorling Kindersley:** Royal Pavilion & Museums, Brighton & Hove (bc); Senckenberg Gesellshaft Fuer Naturforschugn Museum (crb). **51 Dorling Kindersley:** American Museum of Natural History (c); Natural History Museum (crb). **52 123RF.com:** Andrey Armyagov (crb); Jakub Gojda (Water); Antonio Balaguer Soler (cr). **naturepl.com:** Doug Perrine (bc). **53 123RF.com:** Steven Cooper (cla); Francisco de Casa Gonzalez (tl); Sarah Cheriton-Jones (tr); Berangere Duforets (fcl); donyanedomam (cl); Steven Francis (cr); Volodymyr Goinyk (fcr); Sergei Uriadnikov (br); Joerg Hackemann (bc). **54 Fotolia:** Eric Isselee (cra). **56 123RF.com:** Micha Klootwijk (cla). **57 123RF.com:** Camilo Maranchón garcía (bl); Evgenii Zadiraka (bc). **58 123RF.com:** Mike Price / mhprice (cla). **58-59 123RF.com:** Simone Gatterwe. **60 Alamy Stock Photo:** Reuters (cl). **60-61 Alamy Stock Photo:** Avalon / Photoshot License. **61 Alamy Stock Photo:** Images of Africa Photobank (cla). **naturepl.com:** Michael Pitts (tr). **64 Alamy Stock Photo:** All Canada Photos (c). **Dorling Kindersley:** Jerry Young (cl); Jerry Young (bc). **65 Alamy Stock Photo:** FogStock (c); Wildlife GmbH (clb). **66 Alamy Stock Photo:** Juniors Bildarchiv GmbH (cr). **naturepl.com:** Anup Shah (bl). **66-67 Dreamstime.com:** Glinn (Grass). **67 Alamy Stock Photo:** Eureka (br); Stuart Greenhalgh (c); Martin Harvey (clb). **68 naturepl.com:** Klein & Hubert (bl). **Photolibrary:** White / Digital Zoo (cl). **70 123RF.com:** Valentyna Chukhlyebova (cra). **71 Alamy Stock Photo:** Life on White (cra). **72 Dorling Kindersley:** Wildlife Heritage Foundation, Kent, UK (cb); Jerry Young (cra). **72-73 123RF.com:** Susan Richey-Schmitz (Cheetah). **73 123RF.com:** Anan Kaewkhammul; Anan Kaewkhammul / anankkml (br). **74 123RF.com:** Adi Ciurea (t); Remus Cucu (tr). **Dorling Kindersley:** Jerry Young (br). **74-75 123RF.com:** xalanx (b). **75 Dreamstime.com:** Ericg1970 (Background). **76-77 123RF.com:** Dejan Stojakovic (b). **76 Fotolia:** Eric Isselee (tr). **77 123RF.com:** Inaki Relanzon (cra); jpchret (bl). **82 naturepl.com:** Rolf Nussbaumer (clb); Kim Taylor (cb, cr). **84 123RF.com:** Vladimir Seliverstov (cl). **Getty Images:** Frank Krahmer / Photographer's Choice RF (crb). **85 123RF.com:** Michael Koenen (br); Michael Lane (bl). **Dorling Kindersley:** Peter Anderson (bc/rock). **Dreamstime.com:** Jan Martin Will / Freezingpictures (bc). **iStockphoto.com:** Keith Szafranski (tr). **86-87 123RF.com:** Ondrej Prosický (c); Radomír Režný (b). **86 123RF.com:** Denise Campbell (bl). **87 naturepl.com:** Angelo Gandolfi (c). **88 naturepl.com:** Tim Laman (tc); Tim Laman / National Geographic Creative (bc); Tim Laman / National Geographic Creative (cr). **88-89 naturepl.com:** Nick Garbutt (t); Tim Laman (b). **89 123RF.com:** apidach jansawang (r/bark); stillfx (c). **naturepl.com:** Jurgen Freund (cra); Tim Laman / National Geographic Creative (bc); Konrad Wothe (br); Tim Laman / National Geographic Creative (crb); Tim Laman / National Geographic Creative (r). **90-91 123RF.com:** Didier Brandelet (background). **Alamy Stock Photo:** Brandon Cole Marine Photography. **91 123RF.com:** aquafun (tc); Nicolas Voisin (crb). **Dreamstime.com:** Rhk2222 (cra). **92 123RF.com:** sonet (cb). **naturepl.com:** Alex Mustard (cb); Doc White (tr). **92-93 Dorling Kindersley:** Jerry Young (b/Sand). **naturepl.com:** Pascal Kobeh (b). **93 Dorling Kindersley:** Laszlo S. Ilyes (bl). **94 Alamy Stock Photo:** 1Apix (cl). **95 123RF.com:** Hayati Kayhan; Konstantin Labunskiy (bc). **96-97 123RF.com:** Eric Isselee (c); Eric Isselee (b). **98 naturepl.com:** Doug Wechsler (b). **98-99 123RF.com:** svetlana foote (b). **99 Dorling Kindersley:** Jerry Young (crb). **100-101 Dorling Kindersley:** David Peart (c).

101 123RF.com: Kjersti Jorgensen (br). **102-103 123RF.com:** odmeyer (background). **102 123RF.com:** Eric Isselee (r). **103 123RF.com:** Oxana Brigadirova / larus (br). **104-105 Dreamstime.com:** Amwu (c). **105 123RF.com:** Susan Richey-Schmitz (tr). **106-107 Alamy Stock Photo:** Matthijs Kuijpers (b). **106 123RF.com:** Sarayuth Nutteepratoom (cl). **naturepl.com:** Chris Mattison (bl). **107 123RF.com:** Sirichai Raksue (tr); Fedor Selivanov (br). **Alamy Stock Photo:** Chris Mattison (c). **110 123RF.com:** Pedro Campos (bl). **111 123RF.com:** Brandon Alms (cr); weltreisendertj (c); iferol (tc); Dirk Ercken (br); Dirk Ercken (cra); Dirk Ercken (crb); Benoit Daoust (br/ Miniature from). **112 123RF.com:** Vera Kuttelvaserova Stuchelova (b). **113 123RF.com:** ekaterinabaikal (cra). **Dorling Kindersley:** Igor Siwanowicz (crb). **114 Alamy Stock Photo:** tbkmedia.de (bl). **naturepl.com:** Nature Production (cl). **115 Alamy Stock Photo:** Nature Picture Library (tr); tbkmedia.de (cl). **123RF.com:** Jens Brggemann (clb); Yavor Yanakiev (crb). **117 123RF.com:** Subrata Chakraborty (cl); Irina Tischenko (cr). **Alamy Stock Photo:** Scott Camazine (cb). **118 FLPA:** Chien Lee / Minden Pictures (c). **119 Dorling Kindersley:** Nick Garbutt (bc). **120 123RF.com:** Oleksii Troianskyi (c). **Alamy Stock Photo:** David Liittschwager / National Geographic Creative (br). **120-121 123RF.com:** Shouhei Fukuda (c). **121 123RF.com:** Oleksii Troianskyi (clb). **naturepl.com:** Nature Production (br). **122 Dorling Kindersley:** Jerry Young (br). **123 123RF.com:** jhvephotos. **124-125 123RF.com:** Alexander Ludwig. **124 Alamy Stock Photo:** Imagebroker. **125 123RF.com:** Mr. Smith Chetanachan (crb). **Dorling Kindersley:** Blackpool Zoo (tc). **iStockphoto.com:** wckiw (bl). **127 Alamy Stock Photo:** Blickwinkel (bc). **naturepl.com:** MYN / Andrew Snyder (c). **128 123RF.com:** Toby Gibson (clb). **Dorling Kindersley:** Linda Pitkin (cla). **129 123RF.com:** planctonvideo (br); pr2is (c). **Alamy Stock Photo:** Elisabeth Coelfen Food Photography (bl). **130 123RF.com:** Sirirat Chinkulphithak (cra); Eric Isselee (br). **131 123RF.com:** yarlander (b). **Getty Images:** Ken Usami (b). **132 Alamy Stock Photo:** Jose B. Ruiz / Nature Picture Library (crb). **132-133 Alamy Stock Photo:** Stephen Frink Collection. **133 Dreamstime.com:** Fred Goldstein (cra). **134 Dorling Kindersley:** Andrew Beckett (Illustration Ltd.) (crb); Natural History Museum, London (b). **135 iStockphoto.com:** Hajakely (c). **136-137 Alamy Stock Photo:** DAJ Digital Archive Japan; Frans Lanting Studio. **136 Alamy Stock Photo:** Frans Lanting Studio (b). **137 Alamy Stock Photo:** Robertharding (tr). **138 123RF.com:** Jozsef Szasz-Fabian (clb). **Dreamstime.com:** Fiona Ayerst (crb). **Fotolia:** uwimages (cla). **139 123RF.com:** Maurizio Giovanni Bersanelli (clb). **Dreamstime.com:** Jamiegodson; Picstudio (crb). **142 123RF.com:** aniramphoto (clb); Alberto Loyo (cl); Anastasy Yarmolovich (br). **naturepl.com:** Gerrit Vyn (cr). **143 123RF.com:** Micha Klootwijk (cla); Seubsai Koonsawat (cr). **Alamy Stock Photo:** Wild Wonders of Europe / Lundgren / Nature Picture Library (tl). **naturepl.com:** Nature Production (bc). **144-145 Dorling Kindersley:** Oxford Scientific Films. **144 123RF.com:** Michael Lane (cl). **145 Dreamstime.com:** Miroslav Hlavko (cr). **147 Dorling Kindersley:** Judd Patterson (cl); Jerry Young (cla). **148 Dorling Kindersley:** Judd Patterson (tc). **150 123RF.com:** Alta Oosthuizen (cr). **Alamy Stock Photo:** Auscape International Pty Ltd. (crb); Minden Pictures (br). **151 123RF.com:** Alberto Loyo (tr). **Alamy Stock Photo:** WaterFrame (cb). **152 123RF.com:** josefpittner (l). **Alamy Stock Photo:** blickwinkel (crb). **naturepl.com:** Sandesh Kadur (clb); Konrad Wothe (cra). **153 Dorling Kindersley. iStockphoto.com:** FotoSpeedy. **naturepl.com:** Erlend Haarberg

(clb); Loic Poidevin (crb). **154 123RF.com:** Krzysztof Wiktor (cla); wrangel (clb). **Alamy Stock Photo:** RGB Ventures / SuperStock (crb). **154-155 123RF.com:** Richard Whitcombe. **155 123RF.com:** Joseph Quinn (cla); Suwat Sirivutcharungchit (clb). **157 Alamy Stock Photo:** Bruce MacQueen (cb). **158 Dorling Kindersley:** Jerry Young (tr). **159 Dorling Kindersley:** Natural History Museum, London (tc); Jan Van Der Voort (b). **naturepl.com:** Daniel Heuclin (cr). **160 123RF.com:** Eric Isselee (ca); Anan Kaewkhammul (cr). **naturepl.com:** Brent Stephenson (cr). **161 123RF.com:** Matthijs Kuijpers (clb/Jerboa); Ondrej Prosický (fcr); Vladimir Seliverstov (clb); leisuretime70 (bc). **Dorling Kindersley:** Jerry Young (br). **iStockphoto.com:** Hajakely (c). **162 123RF.com:** Jean-Edouard Rozey (clb). **Dreamstime.com:** Piboon Srimak (crb). **163 123RF.com:** Simon Eeman (c); Colin Moore (tl). **Alamy Stock Photo:** Alex Mustard / Nature Picture Library (tr). **FLPA:** Jurgen & Christine Sohns (crb). **165 Dorling Kindersley:** Andrew Beckett (Illustration Ltd.) (b). **166 123RF.com:** Gleb TV (cla); Zdenek Maly (cl); Phattarapon Pernmalai (bl). **Dorling Kindersley:** Jerry Young (cb). **167 123RF.com:** nrey (c); Phattarapon Pernmalai (tr). **Dorling Kindersley:** Andrew Beckett (Illustration Ltd.) (br); Natural History Museum, London (bl). **naturepl.com:** Chris Mattison (tr). **168 Dorling Kindersley:** Rebecca Dean (cr); Oxford Museum of Natural History (crb). **Dreamstime.com:** Isselee (bl). **169 Alamy Stock Photo:** Chronicle (t, cb). **Dreamstime.com:** Isselee (cla, ca). **170 123RF.com:** Kostic Dusan (b). **Fotolia:** Norman Pogson (crb). **171 123RF.com:** fedorkondratenko (br); Eric Isselee / isselee (bl). **172 123RF.com:** cylonphoto (cl); Uladzik Kryhin (tl). **Alamy Stock Photo:** Blickwinkel (bc). **173 123RF.com:** Mikkel Bigandt (crb); Phuong Nguyen Duy (clb); Manfred Thürig. **175 Dorling Kindersley:** Jerry Young (tr). **176 123RF.com:** Dirk Ercken (crb). **178 123RF.com:** Marianne Oliva (clb). **Dorling Kindersley:** Gary Ombler (crb). **Fotolia:** Jan Will (cl). **naturepl.com:** Pete Oxford (cra). **179 123RF.com:** 123RFPremium (ca); Eric Isselee (cra); Mr. Suchat Tepruang (cla). **180 123RF.com:** Tim Hester / timhester (c); Keith Levit / keithlevit (cb). **Fotolia:** Photomic (crb). **181 123RF.com:** Bonzami Emmanuelle / cynoclub (clb). **Dorling Kindersley:** Twan Leenders (c); Natural History Museum, London (cb); Jerry Young (clb). **Fotolia:** uwimages (bc). **182 123RF.com:** Oceanfishing (cla). **183 Corbis:** image100 (tr). **Dorling Kindersley:** Blackpool Zoo (br). **184 123RF.com:** Olga Grezova (cra); Anton Starikov (cra); Oleksandr Lytvynenko (cb); Matyas Rehak (cr). **185 123RF.com:** Martin Jose Frade (bc); Saksit Srisuksai (tl); Zarviiolar (c); Rudmer Zwerver (clb); Michael Lane (crb); Beth Partin (bl); Eric Isselee (br); yanukit (cla). **Dreamstime.com:** Michal Candrak (c); Johncarnemolla (cb). **186 123RF.com:** Hiran Kanthatham (cb); **123RF Premium** (cra). **187 123RF.com:** Ishtygashev (clb); Vladimir Seliverstov (c); leksele (tr); Oxana Lebedeva (fcra). **Dorling Kindersley:** Andrew Beckett (Illustration Ltd.) (cra). **188 Dorling Kindersley:** Hanne and Jens Eriksen (cr); Judd Patterson (cra); The National Birds of Prey Centre (crb). **189 123RF.com:** Ostill (tr). **Dorling Kindersley:** Hanne and Jens Eriksen (cra). **190 123RF.com:** Eric Isselee (cra); Mari art (clb). **191 123RF.com:** Iakov Filimonov (tr); Steve Grodin (cra). **192 123RF.com:** Michaela Dvoráková (cra); Anek Suwannaphoom (crb). **Dreamstime.com:** Vladimir Blinov (c). **193 123RF.com:** Yotrak Butda (tl); Vadym Soloviov (cla); Anan Punyod (cra); Kjersti Jorgensen (b). **Alamy Stock Photo:** Nature Picture Library (tc). **Dorling Kindersley:** British Wildlife Centre, Surrey, UK (clb). **194 123RF.com:** Eric Issele (cb); Michael Lane (br). **Dorling Kindersley:** Cotswold Wildlife Park

(cla). **195 123RF.com:** Acceptphoto (cl); Michael Lane (c); Renald Bourque (cra); Daniel Prudek (br). **Dreamstime.com:** Nico Smit / EcoSna (tl). **196 123RF.com:** Anan Kaewkhammul (cl); Tom Tietz (cla); Sirylok (cr). **197 123RF.com:** Marigranula (clb); Alta Oosthuizen (cl). **198 123RF.com:** Eric Isselee (bl); Kajornyo (tc); Szefei (l/backdrop); Eduardo A Wibowo (cr). **Dorling Kindersley:** Andrew Beckett (Illustration Ltd.) (c). **199 123RF.com:** Anan Kaewkhammul (cl). **Dorling Kindersley:** Andrew Beckett (Illustration Ltd.) (cb); Blackpool Zoo, Lancashire, UK (crb). **200 123RF.com:** cla78 (t/backdrop). **Dorling Kindersley:** Jerry Young (cl). **201 123RF.com:** Lynn Bystrom (cla); Eric Isselee (cb). **Dorling Kindersley:** E. J. Peiker (tr). **202 123RF.com:** Isabelle Khn (bl). **Dorling Kindersley:** Linda Pitkin (br). **202-203 123RF.com:** Mihtiander. **203 Dorling Kindersley:** Linda Pitkin (br). **204 123RF.com:** Vasiliy Vishnevskiy / ornitolog82 (clb). **Dorling Kindersley:** Andrew Beckett (Illustration Ltd.) (ca). **204-205 Dorling Kindersley:** Barnabas Kindersley (cl). **205 123RF.com:** Andreanita (ca); Dmytro Pylypenko (cra); Konstantin Kalishko (cl); Dmytro Pylypenko (clb). **Dorling Kindersley:** Andrew Beckett (Illustration Ltd.) (cla). **206 Fotolia:** Eric Isselee (cr). **207 123RF.com:** Bonzami Emmanuelle; Eric Isselee (ca); Hramovnick (t); Petr Vanek (cr). **208 123RF.com:** Duncan Noakes (cr). **Dorling Kindersley:** Jerry Young (ca). **iStockphoto.com:** Nicholas_Dale (tr). **208-209 123RF.com:** Alexandra Giese (t). **209 123RF.com:** Bennymarty (cl); Eric Isselee (ca); Alta Oosthuizen (cb). **Fotolia:** Star Jumper (cra). **210 Dorling Kindersley:** Peter Minister (bl). **210-211 Dreamstime.com:** Ollirg (background). **212 123RF.com:** Dmitry Kalinovsky / kadmy (tr). **215 123RF.com:** Eric Isselee (br). **216 123RF.com:** Derek Audette (tr); Jukree Boonprasit (ca); Andrey Gudkov (b); Ostill (fcra). **217 123RF.com:** Brian Kinney (cr); Thomas Samantzis (tc); mhgallery (cra); Tatiana Thomson (c); Magdalena Paluchowska (cla); Igor Korionov (cb); Juan Gil Raga (crb); Vilainecrevette (bl). **219 123RF.com:** Eric Isselee (tc). **220 Dreamstime.com:** Eric Isselee (bc/tiger body). **Photolibrary:** Digital Vision / Martin Harvey (bc). **221 Dorling Kindersley:** Natural History Museum, London (bl). **224 Dreamstime.com:** Miroslav Hlavko (br)

Cover images: *Front:* **Dorling Kindersley:** Natural History Museum, London crb, Jerry Young cla; **Photolibrary:** Digital Vision / Martin Harvey cb

All other images © **Dorling Kindersley**
For further information see: www.dkimages.com

DK would like to thank:
Martin Copeland, Claire Cordier, Rob Nunn, Surya Sankash Sarangi, Jayati Sood, and Romaine Werblow for picture library assistance, and Marie Lorimer for indexing.